KU-155-121

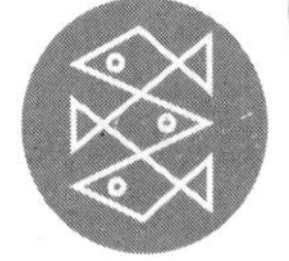

Cornelia Funke, geboren 1958, gilt als die »deutsche J. K. Rowling« und ist eine der erfolgreichsten und beliebtesten Kinderbuchautorinnen Deutschlands. Nach einer Ausbildung zur Diplompädagogin und einem Graphikstudium arbeitete sie zunächst als Illustratorin, doch schon bald begann sie, eigene Geschichten für Kinder und Jugendliche zu schreiben. Inzwischen begeistert sie mit ihren phantasievollen Romanen Fans in der ganzen Welt. Cornelia Funke lebt mit ihrer Familie in Kalifornien.

In der Fischer Schatzinsel sind von ihr bisher ›Kein Keks für Kobolde‹ (gebunden und Bd. 80006), ›Hinter verzauberten Fenstern‹ (gebunden und Bd. 80064), die Bilderbücher ›Der geheimnisvolle Ritter Namenlos‹, mit Bildern von Kerstin Meyer, (gebunden), ›Die Glücksfee‹, mit Bildern von Sybille Hein, (gebunden), ›Das Monster vom blauen Planeten‹, mit Bildern von Barbara Scholz, (gebunden), und ›Wo das Glück wächst‹, mit Bildern von Regina Kehn, (gebunden), erschienen.

Die schönsten Erstlesegeschichten von Cornelia Funke

Mit Bildern der Autorin

Fischer Taschenbuch Verlag

Fischer Schatzinsel
www.fischerschatzinsel.de

9. Auflage: März 2009

Veröffentlicht im Fischer Taschenbuch Verlag,
einem Unternehmen der S. Fischer Verlag GmbH,
Frankfurt am Main, Juni 2002
Lizenzausgabe mit freundlicher Genehmigung
des Loewe Verlags, Bindlach

Satz: Pinkuin Satz und Datentechnik, Berlin
Druck und Bindung: CPI – Clausen & Bosse, Leck
Printed in Germany
ISBN 978-3-596-80392-7

Nach den Regeln der neuen Rechtschreibung

Inhalt

Monstergeschichten

Gagrobatz 9
Rosa und die Geisterbahn 19
Das Monster im Kühlschrank 28
Die größte Erfindung aller Zeiten 34
Monsterwetter 42
Das Monster vom blauen Planeten 50
Der große, große Wunsch 61

Rittergeschichten

Das Ungeheuer im Burggraben 69
Der Namenlose Ritter 78
Die geraubten Prinzen 87
Ritter Griesbart und sein Drache 95
Gawain von Grauschwanz
und die schreckliche Meg 105
Baldur von Blechschrecks Geheimnis 116

Tiergeschichten

Salambos Kinder 125
Elefanten wissen, was sie wollen 134
Tiger und Leo 145
Wer kümmert sich um Kalif? 154
Der Fliegenfreund 161
Grizzlys neuer Zweibeiner 165

Monstergeschichten

Gagrobatz

Ganz oben in den Bergen, da, wo es nur Eis, Schnee und Steine gibt, lebte einst ein riesiges, griesgrämiges, ganz und gar scheußliches Monster namens Gagrobatz. Gagrobatz wohnte seit mehr als dreitausend Jahren ganz allein in einer stockfinsteren Höhle – und die meiste Zeit knurrte ihm der Magen. Tagaus, tagein musste er Steine fressen, weil es nichts anderes gab – außer ab und zu einen Skiläufer oder ein Murmeltier. Von den Steinen aber bekam Gagrobatz meistens Bauchschmerzen. Also lauerte er von Sonnenaufgang bis tief in die Nacht darauf, dass sich irgendein leichtsinniges, schmackhaftes Lebewesen in seine Nähe verirrte.

Und wirklich – eines Tages verfuhr sich ein Schulbus, prall gefüllt mit Kindern, dorthin, wo Gagrobatz wohnte. Das Monster sah ihn schon von weitem die enge Straße heraufkriechen. Es leckte sich die Lippen und grinste. Das war leichte Beute. Es musste nur einen dicken Felsbrocken auf den Men-

schenweg schubsen. Alles Weitere war dann ein Kinderspiel.
Die Insassen des Busses ahnten natürlich nicht, dass sie auf dem Speisezettel eines furchtbaren Monsters standen. Sie sangen gerade allesamt »Im Frühtau zu Berge«, als der Busfahrer mit quietschenden Reifen anhielt. Verdutzt starrte er auf den großen Felsen, der die Straße versperrte.
»Na so was!«, brummte er und kratzte sich den dicken Kopf. »Achtung, wir drehen um!«,

rief er, machte eine haarsträubende Wende – und fuhr geradewegs in einen Tunnel hinein.
»Nanu!«, dachte er noch, bevor es stockfinster wurde. »Der war doch gerade noch nicht da.« Aber da war es schon zu spät.
Der grässliche, scheußliche, immer hungrige Gagrobatz war nicht dumm. Er hatte sich einfach auf die Straße gelegt, das riesige Maul aufgesperrt und die Zunge rausgestreckt. So rollte der Bus mitsamt seinem köstlichen Inhalt schnurstracks in seinen leeren Magen.
»Schluuuck!«, machte der schreckliche Gagrobatz, rülpste, leckte sich das scheußliche Maul – und schleppte sich zurück in seine Höhle für ein kleines Verdauungsschläfchen.
»Wo sind wir, um Himmels willen?«, rief Frau Pfifferling, die Lehrerin der verschluckten Klasse, tief, tief unten im Monsterbauch. »Sieht aus wie eine Tropfsteinhöhle oder so

was!«, brummte der Busfahrer und packte erst mal sein Frühstücksbrot aus. »Auf jeden Fall geht's hier nicht weiter.«

»Das ist keine Höhle, das ist ein Magen«, sagte Marie, die Klassenbeste in Biologie war. »Haben Sie denn nicht die Zähne gesehen, als wir reinfuhren, Frau Pfifferling?«

»Stimmt«, sagte der dicke Rudi. »Es war ein Maul. Ein riesiges Maul.«

Die anderen Kinder nickten zustimmend.

Frau Pfifferling und der Busfahrer sahen sich

entgeistert an. Dann stürzten sie an eins der Fenster und blickten hinaus.
»Aber da liegen ja überall Skelette!«, rief die Lehrerin entsetzt.
»Tja!«, stellte der Busfahrer fest. »Da hat uns wohl doch jemand gefressen.«
»Am besten machen wir den Motor wieder an«, sagte Isolde. »Von den Abgasen wird dem Vieh garantiert furchtbar schlecht, und dann spuckt es uns wieder aus.«
»Ja, und die Radios!«, rief Tom vom hintersten Sitz. »Wir drehen alle Radios voll auf.

Der Lärm schlägt ihm bestimmt auf den Magen!«

Grinsend setzte sich der Busfahrer wieder ans Steuer. »Gut, ich werde hin und her fahren!«, sagte er. »Mal sehen, wie dem Burschen das gefällt. Und ihr fangt wieder an zu singen. Das hört sich so richtig schön scheußlich an.«

Der grausig schaurige Gagrobatz lag friedlich schnarchend in seiner dunklen Höhle,

als plötzlich in seinem Magen die Hölle losbrach.
Scheußlich stinkige Qualmwolken quollen ihm aus den Ohren und aus der Nase. Sein Bauch bekam riesige Beulen und zwackte zum Verrücktwerden. Grausame, nie gehörte Geräusche drangen aus seinem sonst so friedlich stillen Innern. Er musste in einem fort rülpsen, bis er klatschmohnrot im Gesicht war.
Verzweifelt wälzte Gagrobatz sich vor seiner Höhle im Schnee. Sonst half das bei Bauchweh, aber diesmal wurde es davon nur schlimmer. Schließlich musste er furchtbar husten – und spuckte seine schöne Mahlzeit in hohem Bogen wieder aus.
Der arg zerbeulte Bus landete auf seinen Rädern, der Fahrer gab mit einem entsetzten Blick in den Rückspiegel Gas – und die schwer verdauliche Beute schlingerte quietschend davon.

»Nun seht euch das an!«, stöhnte Frau Pfifferling. Empört starrte sie aus dem Rückfenster.
Da stand der scheußliche, immer hungrige Gagrobatz wie ein Hochhaus über der Straße und streckte ihnen die grüne Zunge heraus.

Rosa und die Geisterbahn

Rosa liebte den Jahrmarkt: die Zuckerwatte, die Achterbahn, das Riesenrad. Aber am allermeisten liebte sie die Geisterbahn. All die Gespenster, Monster und klappernden Skelette, ekelhaften Spinnen und Glibberwesen – wunderbar, einfach wunderbar!
Kurz vor Weihnachten kam der Jahrmarkt wieder in die Stadt, und Rosa ging mit ihrem besten Freund Paul hin. Sie kauften sich Zuckerwatte, probierten alle neuen Karussells aus – und dann liefen sie zur Geisterbahn. Dieses Jahr sah sie besonders schaurig aus.
»Igitt, ich krieg jetzt schon eine Gänsehaut«,

sagte Paul. Mit Unbehagen betrachtete er das riesige Maul, durch das es reinging.
»Wenn du Angst hast, fahr ich eben allein«, sagte Rosa ärgerlich. Es war jedes Jahr dasselbe. Paul konnte Geisterbahnfahren nicht ausstehen. Also würdigte sie ihn keines weiteren Blickes, kaufte sich eine Karte und kletterte in einen Wagen. Das Eingangsmaul schluckte Rosa, und sie glitt in die Dunkelheit.
Überall um sie her stöhnte, ächzte und seufzte es. Ein Skelett griff nach ihren Haa-

ren. Eine riesige Gummispinnwebe klatschte ihr fast ins Gesicht.

»Oh, diesmal ist es wirklich besonders schön scheußlich«, dachte Rosa und bekam eine Gänsehaut. »Gleich kommt die große Schlange, dann der Vampir und dann –.«

Überrascht sah sie nach vorn. Das da war neu. Ein wirklich grauenhaft scheußliches Monster mit ellenlangen Armen lehnte sich aus der Dunkelheit herab. Seine riesigen Tatzen baumelten über den Gleisen.

Brrr. Rosa schüttelte sich. Das sah aber wirklich gruselig aus. Richtig lebendig. Ihr Wagen glitt auf die krummen Beine zu.

»Aaaooooooouuuuhh!«, tönte es von oben, und das neue Monster verzog das Maul zu einem bösen Grinsen. Erschrocken kauerte sie sich zusammen. Da schoss eine Riesenpranke herab, pflückte Rosa aus ihrem Wagen und trug sie hinauf in die Dunkelheit.

»Hilfe!«, schrie Rosa. »Hiiiiilfeeee!«

»Hahaaaah!«, lachte das Monster und hielt die arme Rosa ganz nah vor seine funkelnden Augen.
»Lass mich runter!«, schluchzte Rosa. »Du bist wirklich abscheulich. Was willst du von mir?«
»Baah! Gesellschaft will ich!«, knurrte das Monster und blies Rosa seinen stinkenden Atem ins Gesicht. »Ich langweile mich zu Tode zwischen all diesen Pappfiguren!«
»Die, die sind also nicht auch lebendig?«, stammelte Rosa.
»Blödsinn. Natürlich nicht. Alle aus Pappe. Baah!« Das Monster bleckte die Zähne und schwenkte seine Pranke über einem vorbeiratternden Wagen. »Todlangweilig, dieses ewige Menschenerschrecken!«
Rosa schloss die Augen. Sie traute sich nicht, nach unten zu sehen, und das Monster anzugucken, traute sie sich schon gar nicht.

»Los, mach die Augen auf. Erzähl mir eine Geschichte!«, schnauzte das Monster.
»Ich weiß keine Geschichte«, sagte Rosa kläglich. »Bitte lass mich doch endlich runter.«
»Wenn du keine Geschichte weißt«, grunzte das Monster und beschnupperte Rosa von oben bis unten, »dann fress ich dich eben!«
»Nein!«, schrie Rosa und zappelte wie wild mit den Beinen.
»Paul! Hilfe!«
»Rosa!«, schrie eine dünne Stimme von unten. »Rosa, wo bist du?«
»Hier oben!«, schrie sie so laut, dass ihr fast der Kopf platzte. »Das neue Monster hat …«
Eine stinkende Pranke presste sich auf ihren Mund.
»Still, oder ich fress dich sofort!«, knurrte das Monster. »Wer ist dieser Paul?«
»Ein Monsterjäger«, hauchte Rosa. »Ein berühmter Monsterjäger.«

»Na, dann«, sagte das Monster mit bösem Grinsen, »dann fress ich dich besser gleich!« Genüsslich öffnete es sein Riesenmaul – und stieß einen ohrenzerfetzenden Schmerzensschrei aus.

»Aauuuuuuh!«, jaulte es. Seine Krallen ließen Rosa los, und sie plumpste wie ein Stein in die Tiefe.

»Aaah!«, schrie sie – und landete kopfüber auf einem Gummi-Glibberwesen.

»Komm, Rosa!«, hörte sie Paul sagen. Er zerrte sie in einen Wagen. Über ihnen dröhn-

te das wütende Geschrei des Monsters. Ihr Wagen schoss an zwei Skeletten, drei Gespenstern und einem Drachen vorbei. Dann waren sie plötzlich draußen.

Rosa blinzelte in die Sonne und blickte ihren Retter an. »Paul, wie hast du das bloß gemacht?«, fragte sie ehrfürchtig.

Ihr bester Freund grinste von einem Ohr zum

andern. »Ich habe es gebissen«, sagte er. »In seinen kleinen Zeh. Es schmeckte absolut scheußlich!«

Das Monster im Kühlschrank

Mitten in der Nacht wurde Leo davon wach, dass er mörderischen Durst hatte. Verschlafen tastete er sich in die dunkle Küche, öffnete die Kühlschranktür – und erstarrte.
»Mach sofort die Tür zu!«, sagte eine ekelhafte Stimme. »Aber ein bisschen plötzlich!«
Zwischen der Wurst und dem Pudding saß ein Monster. Ein scheußlich gelbes Monster mit schwarzen Tigerstreifen und einem breiten Maul voll nadelspitzer Zähne. In der einen Tatze hielt es Leos Lieblingswurst, in der anderen eine Gurke.
»Na, da staunst du, was?«, grunzte es und

rülpste. »Aber jetzt hast du genug geglotzt. Tür zu, aber dalli!«
Leo konnte keinen Finger rühren. Wie angefroren stand er da und starrte das schmatzende Ding an.
Das Monster kicherte. »Du Zwerg hast wohl noch nie ein Kühlschrankmonster zu Gesicht bekommen, was?« Es steckte einen schuppigen Arm in die Puddingschüssel und leckte sich genüsslich die Finger ab. »Hm, nicht schlecht. Hier lässt's sich aushalten. Aber jetzt Ende der Vorstellung!« Zack! warf es Leo den Rest der Gurke an den Kopf und zog die Kühlschranktür von innen zu.

Leo drehte sich um und tappte ins Schlafzimmer seiner Eltern. »In unserem Kühlschrank ist ein Monster«, sagte er.
»Schon gut. Geh wieder ins Bett«, murmelte seine Mutter. »Du hast schlecht geträumt.«
Sein Vater schnarchte einfach nur weiter.
Leo zuckte die Schultern und ging zurück in die Küche. Von außen sah der Kühlschrank ganz friedlich aus. Leo öffnete nochmal die Tür.
»Du schon wieder!«, schnauzte das Monster. »Geh endlich ins Bett, du Zwerg!«
Es hockte jetzt eine Abteilung tiefer, vollgeschmiert mit den Resten von zehn Eiern. Die Puddingschüssel sah aus wie frisch abgewaschen, und in der Wurstdose lagen nur noch zwei jämmerliche Zipfel.
»Gibt's hier eigentlich keinen Käse?«, knurrte das Monster. Grunzend kratzte es sich mit seinen Eigelbfingern den dicken Bauch.

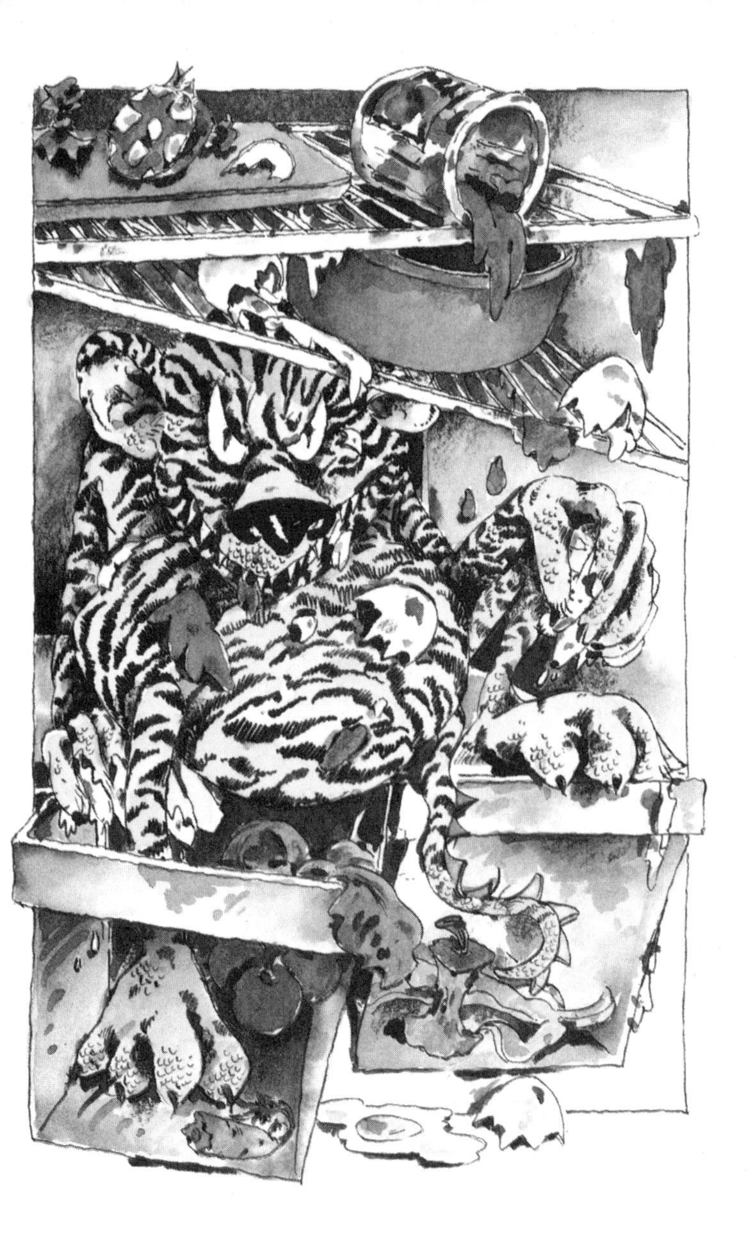

»Nein? Na, dann seh ich mich besser nochmal woanders um, was?«

Mit einem Satz hopste es dem entsetzten Leo vor die Füße und schielte mit gelben Katzenaugen zu ihm hinauf.

»Mach's gut, Zwerg!«, grölte es und strich mit vierzehn klebrigen Fingern über Leos nackte Zehen. »Bis irgendwann mal!«

Dann durchquerte es mit ein paar plumpen Hüpfern die Küche, zog sich am Fensterbrett hoch, öffnete das Fenster und – hopste in die Dunkelheit hinab.

Leo lief zum Fenster und sah hinaus. Nichts. Nur der Mond am schwarzen Himmel. Also schloss er den leer gefressenen Kühl-

schrank und kroch zurück in sein Bett. Dort fiel ihm ein, dass er immer noch nichts getrunken hatte. Egal, zum Kühlschrank würde er nicht nochmal gehen.
»Sie werden bestimmt sagen, ich war's«, dachte er noch. Dann schlief er wieder ein.

Die größte Erfindung aller Zeiten

Parzifal Pechfinger war der größte Erfinder aller Zeiten. Er hatte eine Wolkenzählmaschine erfunden, einen Reißverschluss für Ritterrüstungen, ein Anti-Drachenspray und

ein ganz wunderbares Haarwuchsmittel, dem er seinen gewaltigen Schnurrbart verdankte.

Seine nächste Erfindung aber sollte seine größte werden: Er würde Gold machen. Jawohl, echtes Gold! Und davon würde er sich endlich eine Heizung kaufen, denn in seiner Burg war es sogar im Sommer scheußlich kalt. Löwenzahnblüten – das war das ganze Geheimnis! Zum Glück war noch niemand anderes darauf gekommen. Löwenzahnblü-

ten, Butter und – den Rest darf ich hier leider nicht verraten.

An einem kalten Apriltag also schleppte Parzifal einen Riesensack Blüten, reichlich Butter und die streng geheimen Zutaten in sein Labor tief unten in der Burg. Die Burgtürme waren leider alle bei Experimenten explodiert und ragten nun wie abgebrochene Zähne in den Himmel. Frierend, aber frohgemut machte Parzifal sich an die Arbeit. Er pfiff sogar sein Lieblingslied vor sich hin – »Der Mai ist gekommen« –, während er die Blüten zerrupfte.

Nach zwei Stunden harter Arbeit stand er vor einem zähen, goldgelben Brei.

»Die richtige Farbe, aber etwas zu matschig«, dachte Parzifal Pechfinger. »Aber was nicht ist, kann ja noch werden.« Dann legte er sich ein Stündchen in sein herrlich warmes Bett.

Als er erneut die zahllosen Stufen zum La-

bor hinunterstieg, kam ihm ein merkwürdiger Geruch entgegen.
»Pudding!«, dachte Parzifal. »Es riecht nach Löwenzahnpudding!« Noch erstaunlicher war, dass es mit jeder Stufe wärmer wurde! Vorsichtig lugte Parzifal durch die Labortür. Der goldene Brei stand unverändert auf dem Tisch. Und Duft und Wärme kamen zweifellos von ihm.
Zögernd trat Parzifal vor den großen Teller und pikste mit dem Finger in seine Erfindung.

»Blobb!«, machte es.
»Hm. Fester ist es nicht gerade geworden«, dachte er.
»Blobbblobb!«, machte der Brei und schwabbelte vom Tisch herunter. Zwei Augen zwinkerten Parzifal zu, und ein breiter Mund lächelte ihm aus der goldenen Masse entgegen.
»Der Mai ist geko-ommen«, sang der Brei, schwappte an seinem sprachlosen Erfinder vorbei und schwabbelte duftend die Treppe hinauf.

»Erstaunlich!«, sagte Parzifal Pechfinger. »Ganz außerordentlich, dieser Brei. Ich werde ihn Puddingmonster nennen.«
Dann hastete er eilig seiner wundervollen Erfindung nach.
Das Puddingmonster war inzwischen so groß geworden, dass es durch den Kamin nach draußen schwappte und es sich dampfend und duftend auf dem löchrigen Burgdach bequem machte. Von da schwabbelte und wabbelte es singend die kalten Mauern hinunter, bis die ganze Burg unter einer warmen Puddingmütze verschwunden war.
Und Parzifal Pechfinger?
Der saß mit einem glücklichen Lächeln in seinem Lieblingssessel, ließ die wundervolle Wärme in seine kalten Glieder ziehen – und lauschte.
Das buttergelbe Puddingmonster auf seinem Dach sang mit tiefer Stimme: »Der Mai ist gekommen.«

Und Parzifal seufzte zufrieden.
»Fürwahr!«, sagte er leise. »Das ist meine allergrößte Erfindung!«

Monsterwetter

Der neue Lehrer kam an einem fürchterlichen Regentag. Die Kinder saßen klitschnass und schlechtgelaunt auf ihren Stühlen. Von den Haaren tropfte es auf die Hefte, und um die Schuhe herum bildeten sich kleine Pfützen.

Um Punkt acht ging die Tür auf, und herein kamen der dicke Herr Direktor und ein kleiner, dünner Mann mit einem kleinen, freundlichen Lächeln und großen Karos auf dem Anzug.

»Tag, Kinder!«, sagte der Direktor. »Das ist Herr Ungeheuer, euer neuer Lehrer.«

Alle kicherten. Der Direktor verließ die Klasse, und der kleine Herr Ungeheuer setzte sich mit rotem Kopf hinter das viel zu große Pult. »Dass es aber auch ausgerechnet heute regnen muss!«, seufzte er und betastete besorgt seine spitze Nase.

»Was ist daran denn so schlimm?«, fragte der freche Fred aus der letzten Reihe. »Hier regnet's doch dauernd.«

»Wirklich?« Herr Ungeheuer riss entsetzt die Augen auf. »Oje, das ist ja ganz furchtbar!«
Im selben Moment begann seine Nase sich zu spreizen und zu strecken. Sie wurde länger und länger. Dicker und dicker. Und borstig wie ein alter Besen. Herrn Ungeheuers kleine Ohren wurden spitz und groß wie Papiertüten. Und dann verfärbte sich der ganze neue Lehrer, bis auf seinen karierten Anzug, giftgrün.
»Ich hab es ja gewusst, aber dass es ausgerechnet jetzt sein muss!«, rief er mit seiner kleinen, leisen Stimme, die sich kein bisschen verändert hatte. »Ach, es tut mir furchtbar leid. Achtung!«
Warnend hob er einen giftgrünen Finger, denn nun begann er zu wachsen. Aber wie! Isolde, Boris, Sven und Anna aus der ersten Reihe flüchteten zum frechen Fred in die letzte. Der neue Lehrer wurde größer und größer, bis er wie ein gewaltiger grüner Luft-

ballon die halbe Klasse füllte. Sein rechter Arm knickte den Kartenständer um. Sein Kopf, auf dem ihm prächtige rote Stacheln wuchsen, stieß unter die Decke. Sein herrlich gezackter Schwanz schlug die Tafel entzwei, und sein linker Arm stemmte sich mit einer riesigen, scharfkralligen Tatze gegen die Tür.

»Ooooh!«, stöhnte die ganze zweite Klasse.

»Waaahnsinn!«, hauchte der freche Fred.

Das große grüne Monster vorn am Lehrerpult lächelte freundlich – trotz seiner ellenlangen Zähne – und sagte mit Herrn Ungeheuers leiser Stimme: »Keine Sorge, Kinder! Das passiert mir wirklich nur bei Regenwetter!«
Und dann hauchte es ganz sacht eine kleine gelbe Flamme durch die Klasse, die im Nu all die nassen Haare trocknete und alle Kinder zum Kichern brachte.

»Was ist denn bei Ihnen für ein Lärm?«, dröhnte die Stimme des Direktors von draußen herein. Aber Herrn Ungeheuers Tatze drückte noch immer gegen die Tür, und sosehr der Direktor auch an der Klinke rüttelte, er kam nicht herein.
Da fiel plötzlich ein feiner Sonnenstrahl auf Herrn Ungeheuers grüne Monsternase. Pfffft! Als ließe man die Luft aus einem großen Ballon, wurde aus dem riesigen, wunderbaren Monster wieder der magere, kleine neue Lehrer. Und der Herr Direktor plumpste durch die plötzlich offene Tür in die Klasse.
»Was ist das denn?«, brüllte er entsetzt und zeigte auf die zerbrochene Tafel und das umgestürzte Pult und den völlig verbogenen Kartenständer.
»Oh, das war ich«, sagte Herr Ungeheuer mit verlegenem Lächeln. »Ich war wohl etwas ungeschickt.«
Die Kinder der zweiten Klasse aber blickten

entzückt auf den sprachlosen Direktor und ihren neuen Lehrer – und wünschten sich nichts auf der Welt so sehr wie ein verregnetes Schuljahr.

Das Monster vom blauen Planeten

Auf dem Planeten Galabrazolus lebte einmal ein Junge namens Gobo. Der liebte nichts so sehr wie Geschichten von fernen Planeten und all den merkwürdigen Monstern, die dort lebten.
Eine Geschichte liebte er ganz besonders. Die von dem kleinen blauen Planeten namens Erde, auf dem felllose Monster mit nur zwei Augen und zwei Armen lebten. Gobos Großvater hatte vor vielen hundert Jahren eine Urlaubsreise zu diesem merkwürdigen Planeten gemacht, und Gobo hatte die Fotos von den gruseligen Bewohnern über seinem Bett an die Wand gehängt.

Als Gobo zu seinem zweihundertsten Geburtstag ein kleines Raumschiff geschenkt bekam, beschloss er, sich so ein Erdenmonster zu fangen. Schließlich hatten all seine Freunde längst mindestens ein Haustier von einem anderen Planeten.

Früh am Morgen startete er von den silbernen Hügeln seines Planeten und tauchte in

die ewige Nacht der Sterne. Er flog an unbekannten Sonnen vorbei, durchquerte gefährliche Meteoritenschwärme, wich feurigen Kometen aus und schwebte schließlich im gelben Licht einer fremden Sonne über dem kleinen blauen Planeten.

Gobo schaltete sein UMS (Unsichtbarmach-System) ein und ließ sich langsam durch die Atmosphäre hinabsinken. Er hielt Ausschau

nach einer von diesen wunderbar grünen Wiesen, die Opa fotografiert hatte. Solche, auf denen kleine Blumen wuchsen und ganz große mit dicken Holzstängeln, zwischen denen die Erdenmonster umherrannten. Aber er fand nichts als Steinwürfel, riesige graue Schlangen und stinkende Blechkäfer, die auf ihnen herumkrochen.
Erst als die fremde Sonne schon fast unterging, entdeckte Gobo, was er suchte – eine grüne Wiese mit weißen Blumen. Und mittendrin ein Erdenmonster.
Es war genauso bleich wie auf Opas Fotos und hatte tatsächlich nur zwei Augen und zwei komisch dünne Arme. Die Augen schimmerten sonderbar feucht, und die Beule mitten in seinem Gesicht sah wirklich scheußlich aus. Aber so gruselig, wie Gobo es sich vorgestellt hatte, war es nicht. Er war etwas enttäuscht.
Das Erdenmonster hockte auf seinen Hin-

terbeinen und bewegte seine Kinnladen ganz eigenartig, während es etwas in sein kleines Maul stopfte. Nur auf dem Kopf hatte es struppiges, gelbliches Fell, das ihm fast bis in die zwei Augen hing. Den felllosen Körper hatte es in bunte, höchst merkwürdige Lappen gehüllt – was sehr dumm aussah.

Gobo ließ sein Raumschiff so sacht hinunterschweben, dass nur die Blumen etwas zitterten. Als er genau über dem Kopf des Monsters schwebte, schaltete er den Fangstrahl ein – und das Monster verschwand von der Wiese, als hätte es nie dort gesessen.

Gobos Raumschiff aber war schon ein Augenzwinkern später mit seiner Beute Sonnensysteme entfernt auf dem Heimweg.

Als Gobo das Monster mit dem Fangstrahl in einen Käfig setzte, machte es furchtbare Geräusche. Es sprang wild auf und ab, rüttelte mit seinen kleinen Klauen an den Stäben

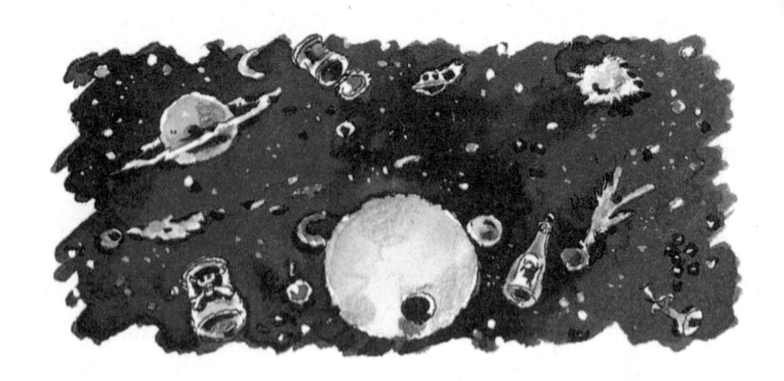

und stieß entsetzliche Laute hervor. Sie erinnerten Gobo an das Grunzen von Mondschweinen und das Kreischen wütender Siriusäffchen.

Er setzte seinen Übersetzungshelm auf, trat vorsichtig an den Käfig heran und – fuhr erschrocken zurück.

»Du widerliches Monster!«, schrie ihn das kleine Scheusal an. »Lass mich sofort hier raus!«

»Wieso Monster?«, rief Gobo empört. »Du bist das Monster! Und von jetzt an bist du mein Haustier!«

»Was?«, fauchte das eklige, bleiche Erdenmonster und rüttelte so wütend an den Gitterstäben, dass Gobo schnell noch einen Schritt zurücktrat. Selbst sein Helm verstand nicht, was das kleine Ungeheuer nun alles von sich gab.

Dann hockte es sich plötzlich in eine Käfigecke und schluchzte los. Silbrige Tropfen quollen aus seinen Augen und liefen das blasse Gesicht hinunter. Gobo war bestürzt. Wurde es etwa krank? Vertrug es das Fliegen nicht? »Ich will nach Hause!«, hörte er es schluchzen. »Ich will zurück nach Hause.«

»Wie meinst du das, nach Hause?«, fragte Gobo ungläubig. »Monster haben kein Zuhause.«

»Du bist das Monster!«, schniefte das bleiche Wesen. »Du weißt natürlich nicht, was Zuhause heißt.«
»Natürlich weiß ich das!«, rief Gobo empört. »Mein Zuhause ist der Planet Galabrazolus. Er hat wunderbar silberne Berge und Meere, die wie buntes Glas schimmern. Er hat sieben Monde. Jeder hat eine andere Farbe. Und auf jedem hat man ein anderes Gewicht.«

Das kleine Erdenmonster hörte auf zu schluchzen und sah ihn erstaunt mit seinen zwei Augen an.
»Sieben Monde?«, fragte es leise. »Stimmt das wirklich mit den sieben Monden? Wir haben nämlich nur einen.«
»Natürlich stimmt das«, sagte Gobo und fand plötzlich, dass die zwei Augen des Monsters wie kleine Sterne aussahen.
»Die Monde würde ich gern mal sehen«, sagte es. »Aber dein Haustier werde ich nicht.«
Schweigend sah Gobo es an. »Meine Freunde werden mich auslachen«, dachte er. Aber

dann drückte er auf einen Knopf, und der Käfig verschwand.
»Komm«, sagte Gobo und lächelte das fremde Wesen verlegen an. »Ich zeige dir die sieben Monde. Und dann bringe ich dich nach Hause.«

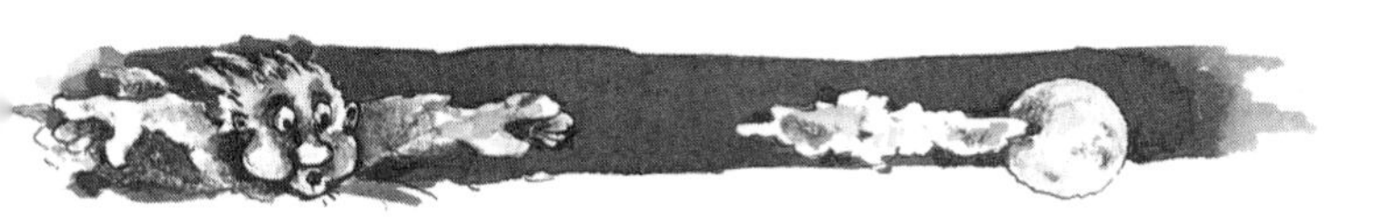

Der große, große Wunsch

»Was muss ich machen«, fragte Hannes, »wenn ich einen ganz verrückten Wunsch habe, den mir niemand auf der Welt erfüllen kann?«
»Hm«, sagte Mama, »ganz einfach. Du schreibst ihn auf einen Zettel, wartest, bis ein starker Nordwind weht, und wirfst den Zettel aus dem Fenster.«

In einer sternklaren Vollmondnacht klopfte es bei Hannes ans Fenster. Was eine merkwürdige Sache war, denn es lag im fünften Stock. Durch die Scheibe sah ein riesiges Auge herein. Etwa so groß wie ein Autoreifen.

Als Hannes mit zitternden Fingern das Fenster öffnete, schob sich eine silbrig schimmernde Pranke herein. Auf die kleinste Kralle war ein Zettel gespießt.
»Ist das deiner?«, fragte eine raue, brunnentiefe Stimme.
In Hannes' eigener krakeliger Handschrift stand da: »Ich wünsche mir auf einem Drachen durch die Nacht zu fliegen.«
Hannes blickte in das riesige, runde Auge und nickte.
»Na, dann komm!«, sagte die tiefe Stimme,

und die mächtige Pranke drehte sich so, dass Hannes hinaufklettern konnte. Er wurde in die Nacht hinausgetragen und fand sich auf einem gewaltigen Rücken wieder, der wie ein Berg die Sterne verdeckte. Zwei Flügel stellten sich links und rechts von ihm auf wie die schwarzen Segel eines Schiffes.
»Sitzt du gut?«, fragte der Drache und wandte seinen langen Hals so, dass er den Jungen ansah.
»Ja«, flüsterte Hannes. Sein Herz dröhnte wie eine Pauke.

Da erhob sich der Drache mit rauschenden Flügeln in die Luft.
Höher und höher stiegen sie, bis die Sterne näher schienen als die Lichter unter ihnen.
Die Haare des Jungen flatterten im eisigen Wind, aber er schmiegte sich an den schuppigen Leib des Drachen, und der wärmte ihn.
So flogen und flogen sie, während der Mond langsam über den Himmel zog.
Doch irgendwann spürte Hannes, dass der Drache langsamer wurde und immer tiefer flog.
»Was machst du?«, rief er.
»Die Sonne kommt!«, rief der Drache zu-

rück. »Ich spüre sie schon. Du musst zurück.«

»Oh«, sagte Hannes. Er merkte, wie ihm eine Träne über die Nase lief, aber er wischte sie hastig weg, damit der Drache sie nicht sah.

»Und wenn ich wieder einen Zettel in den Nordwind werfe?«, fragte er, als der Drache ihn vorsichtig wieder in sein Zimmer setzte.

»So ein Wunsch wird nur ein einziges Mal erfüllt«, sagte der Drache. »Lass es dir gut gehen.«
Dann hörte Hannes das Rauschen der Flügel und sah einen schwarzen Schatten über den untergehenden Mond ziehen.
Er wartete viele, viele Nächte am Fenster, aber der Drache kam nie wieder.

Rittergeschichten

Für Volker und Wolfram

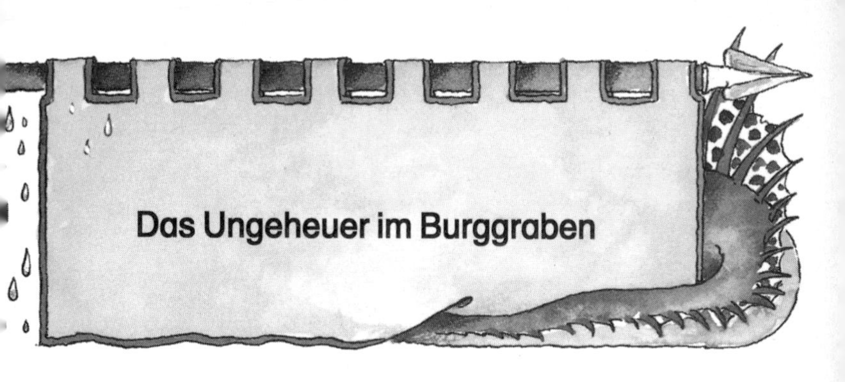

Der edle Ritter Oswald von Schimmelstein lag schlaflos in seinem Bett und zählte Schafe. Seit er beim Turnier einen Schlag auf den Helm bekommen hatte, konnte er nachts einfach nicht mehr schlafen. Unter den Augen hatte er tiefe Ringe. Sein Mund schmerzte schon vom ständigen Gähnen, und die Müdigkeit machte ihn so schlapp, dass er kaum noch in seine Rüstung kam. Aber schlafen konnte er trotzdem nicht.
»Viertausendfünfhundertsieben«, zählte Oswald. »Viertausendfünfhundertacht ...«
Plötzlich hörte er draußen ein furchtbares Planschen und Prusten. Er stolperte zum

Schlafzimmerfenster und guckte in die Nacht hinaus. Was er sah, ließ ihm das Blut in den Adern gefrieren.
Im Burggraben schwamm eine riesige, breitmäulige, stachelbespickte Seeschlange. Silbrig schimmerten ihre Schuppen im Mondlicht. Ihr langer Leib glitt durch das schlammige Wasser, und ihre Schwanzspitze peitschte gegen die Burgmauer.
»Welch grausiges Untier!«, stöhnte Oswald von Schimmelstein. »Und das, wo ich doch so müde bin.«
Gähnend kletterte er in seine Rüstung, ergriff sein Schwert und stieg scheppernd die Treppe zum Burgtor hinunter. Mit lautem Quietschen senkte sich die Zugbrücke über den Burggraben, und der müde Ritter trat hinaus.
Der Leib der Seeschlange wölbte sich dunkel in den Himmel. Ihre spitzen Stacheln reckten sich ihm wie ein Wald von Lanzen entgegen.
»Hinfort, du schleimige Schlange!«, rief Os-

wald und hob schwankend sein Schwert. Fast wäre er kopfüber von der Zugbrücke gefallen.

Der Schlangenleib bebte und versank gurgelnd im dunklen Wasser. Nur die Stacheln ragten noch heraus.

»Was? Du fliehst, Elende?«, brüllte der Ritter und rieb sich müde die Augen. »Das wird dir, bei Gott, gar nichts nützen!«
Da tauchte die Schlange mit furchtbarem Prusten wieder auf. Das Wasser spritzte dem Ritter um die Ohren. Höher und höher reckte sich die Schlange. Oswald musste den Kopf in den Nacken legen, um ihr spitzes Maul zu sehen. Sein Schwert war tropfnass. In seiner Rüstung stand das Matschwasser bis zum Halsring.
Die Schlange wiegte sich mit leisem Summen hin und her. Sie lächelte spöttisch auf ihn herab. Oswald wurde ganz schlecht vor Wut.
»Teuflisches Untier!«, brüllte er und hieb mit seinem Schwert wild in der Luft herum. Klirrend traf die Klinge die schimmernden Schuppen, aber das Schwert prallte ab, als wären die Schuppen aus Stein. Die Schlange gluckste vor Vergnügen. Dann fing sie an

zu singen, sanft und süß, während ihr riesiger Leib sich über dem dunklen Wasser wiegte. Oswald wurde ganz schläfrig davon, furchtbar schläfrig.

»Halt ein!«, schrie er. »Halt ein mit deinem tückischen Singsang und kämpfe! Kämpfe wie ein Mann – äh, wie eine Schlange!«

Die Schlange sang weiter.

Oswald von Schimmelstein fielen die Augen zu. Mit letzter Kraft stolperte er in die Burg zurück und holte seine längste Lanze.

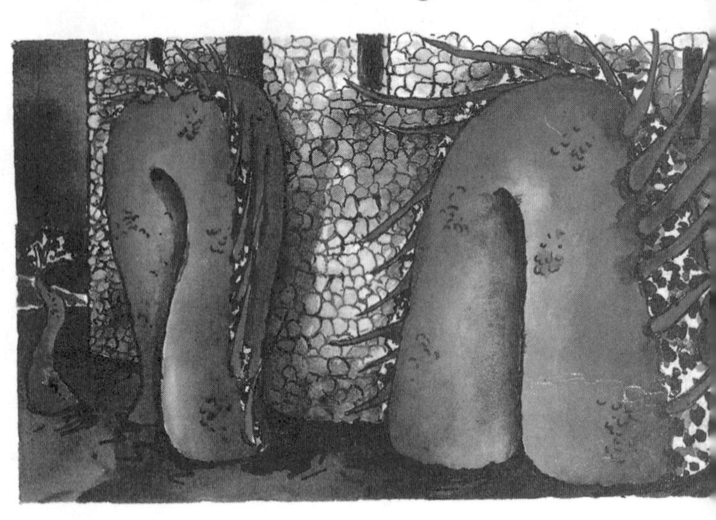

»Halaliiiiiiii!«, schrie er und stürmte damit auf den schuppigen Leib los. Die Seeschlange bog sich elegant zur Seite, und Oswald plumpste in seinen eigenen Burggraben. Das war zu viel!

Geschunden an Leib und Seele klammerte

er sich an einen Schlangenstachel. Seine Rüstung war schwer wie Blei und zog ihn in die Tiefe.
Wahrlich ein ehrloses Ende!, dachte Oswald. Die spitze Schnauze der Schlange kam näher und näher, bis der Ritter ihren warmen Atem spürte. Sie öffnete ihr Maul, ihre Zähne schlossen sich um den prachtvollen Federbusch auf Oswalds Helm – und dann hob sie den nassen Ritter in die Luft. Immer höher reckte sich das Untier, bis der strampelnde Oswald direkt vor seinem Schlafzimmerfenster hing. Sacht setzte die Schlange ihn auf die Brüstung.
»Hahahabt Dadadadank!«, stammelte Oswald schlotternd vor Kälte.
Die Schlange zischte nur leise und ließ sich zurück ins Wasser sinken. Oswald von Schimmelstein plumpste mit einem Seufzer ins Zimmer. Aus allen Ritzen seiner Rüstung schwappte Wasser. Schniefend und frierend

schälte er sich aus seiner Rüstung, zog sich das Nachthemd über den nassen Kopf und kroch mit klappernden Zähnen ins Bett. Fürwahr, ein erstaunliches Untier!, dachte er und lauschte.
Die Schlange sang.
»Zauberhaft!«, murmelte der Ritter und zog sich die Decke unter die Nase. »Hach, ich werde wahrhaftig ganz schläfrig!«
Und dann schnarchte er auch schon friedlich in sein Kissen. Von dieser Stunde an sang die Seeschlange jede Nacht für Oswald von Schimmelstein. Seine Schlaflosigkeit hatte ein Ende. Schon bald gewann er seine alte Stärke zurück. Und wenn ein anderer Ritter kam, um mit seiner singenden Schlange zu kämpfen, dann schlug Oswald ihn siegreich und unerbittlich in die Flucht.

Der Namenlose Ritter

Wenn König Wilfred der Wohlriechende zu einem Turnier einlud, dann strömten die besten Ritter des Landes zusammen. Denn der Siegespreis war immer ein Kuss der schönen Königstochter Eleonore.

König Wilfred veranstaltete sehr viele Turniere, und Eleonore musste sehr viele siegreiche Ritter küssen. Eines schönen Tages wurde ihr das zu bunt.

»Diese Ritter sind genauso hohl wie ihre Rüstungen«, sagte sie zu ihrem Vater. »Sie stinken nach Rost und Schweiß und haben nichts im Kopf als ihre Schwerter und ihre

Wappen. Schluss! Ich werde nie wieder einen dieser Blechköpfe küssen!«
Darüber war König Wilfred so sehr verärgert, dass er Eleonore drei Tage in den kalten Burgturm sperren ließ, zu den Ratten und Fledermäusen. Aber die Prinzessin war nicht nur schön, sondern auch sehr klug, und so nutzte sie die Zeit, um eine List zu ersinnen …
Zum nächsten Turnier ging sie brav wieder

mit. Aber während der König den Rittern Eleonores Schönheit pries und dem Sieger einen Kuss von ihr versprach, tauschte die Prinzessin den Platz mit ihrer Zofe und verschwand hinter der festlich geschmückten Tribüne. Der König merkte nichts. Die Zofe trug ein Kleid seiner Tochter und vor dem Gesicht einen dichten Schleier, was sollte er da merken? Eleonore hatte alles sorgfältig vorbereitet. Sie zog die silberne Rüstung an, die sie im Gebüsch versteckt hatte, schnallte sich ein Schwert um, ergriff eine Lanze und stieg auf den prächtigsten Schimmel aus dem Stall des Königs. Dann schloss sie das Visier und galoppierte auf den Turnierplatz. Vor dem Thron ihres Vaters zügelte sie ihr Pferd und senkte die Lanze.

»Ich bin der Namenlose Ritter!«, verkündete sie mit verstellter Stimme. »Und ich werde jeden Ritter in den Staub werfen, der es wagt, sich mit mir zu messen.«

Wilfred der Wohlriechende war verblüfft.
»Wohlan, edler Ritter«, sagte er. »Dann lasst den Kampf beginnen.«
Die Trompeten erklangen, und Sigurd von Donnerbalk, gefürchtet auf allen Turnierplätzen, ritt in die Schranken. Mit donnern-

dem Galopp stürmte er auf den Namenlosen Ritter zu. Aber als Sigurd noch genau einen Pferdesprung entfernt war, hängte sich der Namenlose Ritter blitzschnell auf die Seite seines Pferdes, Sigurds Lanze stieß ins Leere, und Sigurd von Donnerbalk flog über den Hals seines Pferdes in den Staub.

Nummer eins.

Auf den Rängen herrschte erstauntes Schweigen. Dann brach der Jubel los. Der Namenlose Ritter ritt an den Anfang der Schranke zurück und wartete auf den nächsten Gegner.

Das war Hartmann von Hirsingen. Ihm erging es nicht besser als seinem Vorgänger.

Der Namenlose Ritter stieß ihn kurzerhand mit dem Fuß aus dem Sattel.
Nummer zwei.
Es folgten Heinrich von Hirsekorn, Götz von Gruselstein und Neidhart von Fieslingen. Sie landeten alle im Staub. Der Rest der edlen Ritterschaft weigerte sich daraufhin, zum Kampf anzutreten. Der König erklärte den Namenlosen Ritter zum Turniersieger.
»Ich danke Euch, Majestät!«, sagte der Ritter mit einer Verbeugung. »Und nun wird es Zeit für mich heimzureiten.«
»Aber Euer Preis!«, rief der König. »Vergesst nicht Euren Preis. Den Kuss von meiner schönen Tochter!«
»Lieber nicht«, sagte der Namenlose Ritter. »Ein Kuss von Euch wäre mir lieber.«
»Was?«, stammelte der König. »Ähm, wie?«
Da nahm der Namenlose Ritter seinen Helm ab.
»Guten Tag, Vater«, sagte die schöne Eleo-

nore. Sie beugte sich vom Pferd herab und gab dem König einen dicken Kuss auf die Nase.
Der war zum allerersten Mal in seinem königlichen Leben vollkommen sprachlos.
»Und nun zu euch, ihr Blechköpfe«, sagte die Prinzessin und wandte sich den geschlagenen Rittern zu.
Schief und krumm, mit schmerzenden Gliedern saßen sie auf ihren Pferden und verbargen ihre schamroten Gesichter hinter den geschlossenen Visieren.
»Von heute an gilt, wer Eleonore küssen will, muss erst mit dem Namenlosen Ritter kämpfen. Habt ihr das verstanden, ihr Blechköpfe?«, fragte die Prinzessin.
Keiner der Ritter gab Antwort. Wütend rissen sie ihre Pferde herum und galoppierten vom Turnierplatz, verfolgt vom Gelächter der Zuschauer.
Kein Ritter wollte je wieder mit dem Namen-

losen kämpfen. Eleonore musste nie wieder einen Blechkopf küssen. Sie heiratete den Rosengärtner ihres Vaters und wurde sehr glücklich.

Die geraubten Prinzen

Es war einmal eine schreckliche Riesin namens Grauseldis, die sammelte schöne Prinzen. Sie raubte sie aus ihren Schlössern und grapschte sie von ihren Pferden. Sie stopfte sie in ihre riesige Handtasche und schleppte sie dann in ihr Schloss, hoch auf dem Gipfel eines Berges.
Manche Prinzen schafften sich bissige Hunde an. Einige ließen ihr Schloss von hundert Rittern bewachen, andere verkleideten sich als arme Bauern, aber Grauseldis schnappte sie alle.
In ihrem Schloss hatte die Riesin ein Pup-

penhaus mit vielen kleinen Zimmern. Dort steckte sie die Prinzen hinein. Die schönsten bekamen die größten Zimmer, und die klügsten benutzte Grauseldis als Schachfiguren. Sie kochte ihnen köstliche Mahlzeiten und spielte ihnen auf der Laute vor, aber das Puppenhaus durften sie erst wieder verlassen, wenn sie der Riesin nicht mehr gefielen …

Jahrelang ging das so.

Bis Grauseldis eines Tages den schönen Prinzen von Kleinpistazien raubte. Er bewunderte sich gerade im Spiegel, als Grauseldis mit ihren Riesenfingern durchs Fenster griff und ihn in ihre Handtasche stopfte.
Seine Mutter, Königin Adelheit, war verzweifelt. Eine Million Goldstücke bot sie dem, der ihren Sohn befreien würde.
Es meldeten sich viele Ritter, aber nicht einer kehrte vom Schloss der furchtbaren Riesin zurück. Grauseldis warf sie alle in einen dunklen, feuchten Kerker.
Königin Adelheits Verzweiflung war grenzenlos und tränenreich. Aber eines Morgens wurde ihr wieder ein Ritter gemeldet. In roter Rüstung trat er vor ihren Thron.
»Ich werde Euren Sohn befreien«, sagte er, ohne seinen Helm zu öffnen. »Aber nur unter einer Bedingung. Dass Ihr ihn mir zum Mann gebt.«
»Wie bitte?«, rief die Königin.

Da nahm der blutrote Ritter seinen Helm ab, und zum Vorschein kam eine wunderschöne Frau. »Ich bin die Ritterin Frieda Ohnefurcht«, sagte sie. »Unbesiegt in vielen Kämpfen. Ich werde Euren Sohn befreien, wenn Ihr mir versprecht, was ich verlange.«
»Aber ja!«, rief die Königin. »Aber ja doch, alles, was Ihr wollt, meine Teure, nur bringt ihn zurück!«
Da schwang sich Frieda Ohnefurcht auf ihr schwarzes Pferd. Sie ritt drei Tage und drei Nächte, bis sie zu dem Berg kam, auf dem das Schloss der Riesin stand. Bleich stand der Mond über den spitzen Türmen. Das Schnarchen von Grauseldis war bis zum Fuß des Berges zu hören. Schnell wie der Wind ritt Frieda Ohnefurcht zum Schloss hinauf. Vor dem Tor sprang ihr knurrend der fünfköpfige Wachhund der Riesin entgegen. Aber die rote Ritterin knotete ganz einfach seine fünf Hälse zusammen und ließ ihn den

steilen Berg hinunterrollen. Dann ritt sie in den großen Schlosssaal.
»Grauseldis!«, rief sie. »Komm her!«
»Wer brüllt so frech in meinem Schloss herum?«, knurrte die Riesin. Sie rollte aus ihrem Bett und polterte die Treppe hinunter.
»Rück die Prinzen raus, Grauseldis!«, rief die Ritterin. »Oder du wirst die Sonne nicht aufgehen sehen.«

»Hahaaa!«, lachte die Riesin und klatschte in die Hände. »Ich glaube, ich werde dich auch behalten. Du bringst mich zum Lachen!«
Frieda streifte sich einen Handschuh von der Hand. Aus ihrem Ärmel kroch eine kleine Spinne.
Die Riesin wurde bleicher als der Mond. »Nimm sie weg!«, schrie sie und kletterte ängstlich auf einen Stuhl. »Nimm sie weg!«
Frieda Ohnefurcht flüsterte der Spinne etwas zu und setzte sie zu Boden. Das kleine Tier krabbelte auf die Riesin zu. Grauseldis sprang wild von einem Bein aufs andere und versuchte die Spinne zu zertreten. Immer wilder stampfte die Riesin. Das Schloss bebte. Alle Kronleuchter fielen von der Decke, und die Prinzen im Puppenhaus plumpsten aus ihren Betten.
Die kleine Spinne krabbelte der Riesin ungerührt auf den Fuß und kletterte ihr Bein hinauf.

»Aaaah!«, kreischte Grauseldis.
Und dann passierte es: Stück für Stück erstarrte die furchtbare Riesin zu Stein, bis sie grau und reglos in der Schlosshalle stand.
»Geschafft!«, sagte Frieda Ohnefurcht. Sie zog ihren Handschuh wieder an und klemmte sich den roten Helm unter den Arm. Dann befreite sie die Prinzen aus dem Puppenhaus und die Ritter aus dem Kerker.
Und den schönen Prinzen von Kleinpistazien? Den hat sie doch nicht geheiratet, denn einer der Ritter gefiel ihr noch viel besser.
Friedas Spinne blieb im Schloss und baute sich ein wunderschönes Netz. Direkt hinter dem Ohr der versteinerten Grauseldis.

Ritter Griesbart und sein Drache

Ritter Griesbart von der Tann hatte schon zehn Jahre seines Lebens damit verbracht, einen sechsköpfigen Drachen zu jagen. Seine Rüstung hatte dabei so manche Delle davongetragen, und der Drache hatte so manchen Kopf verloren. Aber die beiden jagten immer wieder aufs Neue hintereinander her. Tagaus, tagein.

Eines Morgens tauchte Ritter Griesbart wie immer in blankgeputzter Rüstung und mit scharf geschliffenem Schwert vor der Höhle des Drachen auf und begann den Drachen zu beschimpfen.

»Heda! Ekelhafter Erdwurm!«, brüllte der Ritter. »Feuer speiender Menschenfresser, widerlicher Wiesenwühler. Dein Bezwinger ist gekommen. Wohlan, stell dich dem ritterlichen Kampf!«
Der Drache steckte einen seiner gewaltigen Köpfe aus der Höhle, blies ein paar Rauchwölkchen in Griesbarts Richtung und gähnte.
»Nein!«, knurrte er. »Ich habe keine Lust!«

Dem edlen Ritter fiel vor Schreck der Schild aus der Hand.
»Aber, aber …«, stotterte er. »Was soll das heißen? Bist du etwa krank?«
»Nein. Ich hab einfach keine Lust mehr.« Damit drehte sich der Drache um und trottete in seine Höhle zurück.
»Hey, bleib hier!«, brüllte der Ritter ihm nach. »Was ist mit morgen?«
»Gar nichts ist mit morgen!«, fauchte der Drache. »Ich bin diese alberne Jagerei leid. Mach, dass du in deine Burg kommst. Auf Nimmerwiedersehen!«
Und schon war er im Dunkel der Höhle verschwunden.
Fassungslos starrte Ritter Griesbart auf sein nutzloses Schwert. Was nun? Wo sollte er jetzt einen neuen Drachen herbekommen? Wozu war ein Ritter denn nutze, der hinter nichts und niemandem herjagte? Eine lächerliche Blechfigur war er, nichts weiter. In

Ritter Griesbarts breiter Brust mischten sich Wut und Verzweiflung.

»Komm raus!«, schrie er mit bebender Stimme. »Komm raus, du elender Feigling! Du Drückeberger! Du faules Drachenluder! Schuppiges Scheusal! Gemeiner Verräter!«

Nichts rührte sich. Der Drache streckte nicht

mal die Nasenspitze heraus. Ritter Griesbart sprang mit wildem Gebrüll vom Pferd und stürmte mit gezogenem Schwert in die Drachenhöhle.

Schimmernd lag der Drache in der Dunkelheit. Er verspeiste gerade einen Bären.

»Kämpfe!«, schrie der edle Ritter und pikste in den Drachenschwanz. »Kämpfe, Elender! Dein Ende ist nahe.«

»Ach, lass das dumme Geschwafel!«, schmatzte der Drache. »Ich kann's nicht mehr hören. Und lass endlich meinen Schwanz in Ruhe, sonst werde ich ernsthaft böse!«

Da ließ Ritter Griesbart sein Schwert auf den Höhlenboden fallen. Er wusste nur zu gut, dass er dem Drachen nichts anhaben konnte. Unverwundbar war dieses Vieh, absolut unverwundbar. Gut, man konnte ihm die Köpfe abschlagen. Aber die wuchsen schnell wieder nach. Und das Drachenblut,

das dabei herumspritzte, ätzte Löcher in die beste Rüstung. Tränen tropften in Ritter Griesbarts Helm.
»Stell dich nicht so an«, knurrte der Drache. »Was ist, wenn dich deine Kollegen so sehen, hm?«
»Ich werde mich in meinem Burggraben ertränken!«, schluchzte Ritter Griesbart. »Fürwahr, das werde ich!«
Der Drache seufzte und schüttelte seine sechs Köpfe. »Blecherner Blödsinn. Du kannst froh sein, dass ich so gutmütig bin. Ich hätte dich längst fressen sollen. Na ja, komm mit!«
Er schubste den schluchzenden Ritter zum Höhlenausgang.
»Roderich!«, brüllte der sechsköpfige Drache. »Roderich, komm mal her!«
Es raschelte im Gebüsch, und heraus kugelte ein kleiner Drache, feuerrot und kaum größer als ein Hund.

»Grrrr!«, knurrte er und spie Griesbart eine winzige Stichflamme vor die Beinschienen. »Lass das!«, fauchte der sechsköpfige Drache. »Darf ich vorstellen? Mein missratener Neffe Roderich. Er ist nicht besonders groß und hat nur vier Köpfe, aber er ist ganz wild auf Ritter. Nicht wahr, Roderich?«
»O ja, o ja!«, quäkte der kleine Drache,

schnappte nach einer Fliege und grinste, wobei einer seiner Köpfe an Griesbart herumschnupperte.
Der Ritter seufzte. »Wächst der noch?«, fragte er.
»Klar!«, sagte der sechsköpfige Drache. »In fünfzig Jahren ist er bestimmt schon so groß wie ein Schwein.«
Ritter Griesbart seufzte noch einmal.
»Los, los, Ritter!«, drängte Roderich und wedelte mit seinem stacheligen Schwanz. »Worauf wartest du?« Er spuckte Griesbart auf die Schuhe und hüpfte aufgeregt davon.

»Wohlan!«, murmelte Griesbart von der Tann. »Vier Köpfe sind besser als nichts.« Dann ging er mit schweren Schritten zu seinem Pferd, stieg auf und trabte hinter seinem neuen Drachen her.

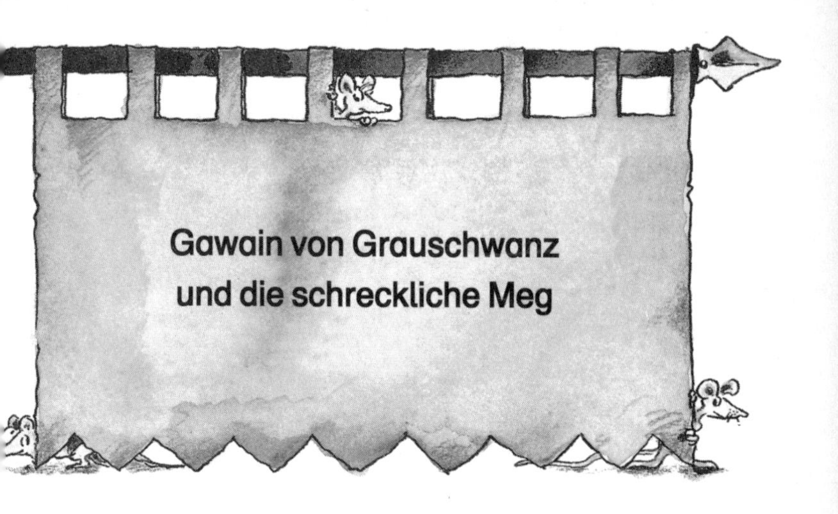

Gawain von Grauschwanz und die schreckliche Meg

Auf Burg Rabenschreck lebten glücklich und zufrieden viele Mäuse. Aber der Burgherr, Ritter Tristan von Trottelbach, war es gründlich leid, angenagte Kettenhemden zu tragen. Seine Frau Hermine hatte keine Lust mehr, Mäuseкötel vom Käse zu schütteln, und ihre Kinder wollten auch nicht mehr mit angeknabberten Puppen spielen.
Also ritt Tristan von Trottelbach in die nächste Stadt und kaufte eine Katze. Nicht irgendeine Katze. O nein. Er holte die schleiche-

schlaue, scharfkrallig schaurige, immer hungrige Meg auf seine Burg. Sie war weit und breit die beste Mäusejägerin, und Ritter Tristan hatte zehn Goldstücke für sie bezahlt.

Meg machte sich gleich an die Arbeit. Schon nach einem Monat gab es auf der Burg nur noch drei Mäuse, Langschwanz, Schnüffelbart und Trippelpfote. Die drei waren abgemagert bis auf die Knochen. Die schreckliche Meg bewachte die Essvorräte mit besonderer Sorgfalt. Zum Schlafen kamen sie auch nicht, denn Meg legte sich vor ihr Mauseloch und blies ihren heißen Katzenatem hinein.

»Uns bleibt nichts anderes übrig, als auszuwandern!«, sagte Langschwanz zu den anderen.

»Aber wohin?«, rief Trippelpfote. »Wir sind Burgmäuse. Und hier gibt es nirgendwo eine andere Burg!«

Der arme Schnüffelbart sagte gar nichts. Er kaute nur hungrig auf seinen Barthaaren herum. Ihre Lage war verzweifelt.

Da huschte eines Nachts eine kleine Gestalt durchs Burgtor. Silbern spiegelte sich das Mondlicht in ihrer winzigen Rüstung. Es war der berühmte Mäuseritter Gawain von Grauschwanz, der Schrecken aller Kater und Kat-

zen. Er war gekommen, um den Mäusen von Burg Rabenschreck gegen die furchtbare Meg beizustehen.
Nachdem Gawain großzügig seinen restlichen Reiseproviant mit den drei ausgehungerten Burgmäusen geteilt hatte, berieten sie, was zu tun sei.
»Bin schon mit Schlimmerem fertig geworden«, sagte Gawain und zwirbelte lässig seinen Schnurrbart. »Zuallererst braucht ihr Rüstungen und ein paar große Stopfnadeln. Gabeln wären auch nicht schlecht.«
»Die besorge ich«, flüsterte Trippelpfote. »Aber wo sollen wir die Rüstungen herkriegen?«
»Machen wir selbst«, raunte Gawain. »Ein paar Becher aus Metall, eine Kerzenflamme und das hier ...« Er zog eine kleine Keule aus dem Gürtel. »Damit hämmern wir das heiße Metall in die passende Form. Alles klar?«

Die drei Burgmäuse nickten.
»Na, dann an die Arbeit«, zischte der Mäuseritter.
Dreimal störte die scharfkrallige, schaurige Meg sie bei der Arbeit, und dreimal lockte der tollkühne Gawain sie weg – ohne dass die riesige Katze auch nur den Zipfel seines Schwanzes zu Gesicht bekam.

Jedes Mal war er wie der Blitz zurück.
»Diese Katze ist kein bisschen schlauer als ihre Brüder und Schwestern«, sagte er.
»Schnell ist sie schon, aber …«, er strich sich selbstbewusst über seinen Schnurrbart, »… ich bin natürlich schneller.«
Bewundernd sahen die Burgmäuse zu ihm auf. Dann legten sie ihre Rüstungen an. So prächtig wie Gawains waren sie nicht, aber sie boten zuverlässigen Schutz gegen Katzenkrallen. Kichernd betrachteten die drei sich in einer Spiegelscherbe.
»Richtig gefährlich sehen wir aus!«, sagte Schnüffelbart.
»Ritterlich«, stellte Gawain fest. »Richtig ritterlich seht ihr aus. Nehmt die Nadeln und die Gabeln. Jetzt werden wir diese Meg aus der Burg jagen.«
Auf leisen Mäusepfoten schlichen sie durch die dunkle Burg. Die menschlichen Bewohner lagen längst in den Betten. Ritter Tris-

tans Schnarchen war bis in die Eingangshalle zu hören.
Die schreckliche Meg lag vor dem glimmenden Kamin und wetzte ihre Krallen genüsslich an einem Lehnstuhl. Als Gawain und die drei Burgmäuse auf sie zutrippelten, sprang sie überrascht auf.
»Halloo!«, schnurrte sie mit tiefer Stimme. »Wen haben wir denn da? Abendessen mit Nachtisch?«
»Hüte dich und zittere, scheußliche Meg!«, rief Gawain. »Vor dir steht der unbesiegbare Gawain von Grauschwanz mit drei seiner tapfersten Knappen. Flieh, solange dein räudiges Fell noch ohne Löcher ist!«
Meg lachte leise. Sie duckte sich, zeigte ihre spitzen Zähne – und schnellte mit einem eleganten Satz auf den Mäuseritter zu. Ihre Landung war weniger elegant. Gawain sprang blitzschnell zur Seite, und Meg landete höchst unsanft auf der Nase. Fauchend

fuhr sie herum. Wie Dolche stießen ihre Krallen auf die Mäuse nieder, aber an ihren Rüstungen glitten sie ab und prallten schmerzhaft auf die steinernen Fliesen.

»Verschwinde, Meg!«, schrie Trippelpfote und pikste Meg die Stopfnadel ins Fell.

»Ja, verschwinde!« Langschwanz fuchtelte mit seiner Gabel vor der Katzennase herum.
»Wir waren vor dir hier!«, schrie Schnüffelbart und hieb der schrecklichen Meg ein Schnurrbarthaar ab.
Die riesige Katze duckte sich, kniff überrascht die Augen zusammen und machte einen Schritt zurück. In keinem ihrer sieben Katzenleben war ihr je so etwas passiert. Sie kannte fiepende, zitternde, furchtsam flüchtende Mäuse. Aber Mäuse mit Nadeln? Mäuse mit Gabeln? Mäuse, die keine Angst vor ihr, der herrlichen, der Furcht erregenden Meg, hatten? Das war unerhört!
»Raus mit dir«, riefen die Burgmäuse. »Das Fenster haben wir dir schon aufgemacht.«
Tollkühn sprang Gawain auf den Katzenkopf. »Berichte deinen Brüdern und Schwestern von den fürchterlichen Mäusen auf Burg Rabenschreck.« Und dann biss er der schrecklichen Meg ins Ohr.

»Miaauuu!«, heulte sie, machte einen Riesensatz und schoss auf das offene Fenster zu. Gawain von Grauschwanz hing immer noch an ihrem Ohr. Erst kurz vor dem Fenster ließ er sich fallen. Meg schoss wie ein Pfeil ins Freie, und die vier Mäuse knallten mit vereinten Kräften das Fenster zu.
Am nächsten Morgen wunderten sich Ritter Tristan und seine Familie sehr über Megs Verschwinden. Als sie wieder die ersten Mäusekötel auf dem Brot fanden, kaufte Tristan von Trottelbach eine neue Katze – und dann noch eine und noch eine. Keine blieb lange. Schließlich stellten die von Trottelbachs Fallen auf. Aber alles, was sie jemals darin fingen, waren Stopfnadeln und Gabeln.

Baldur von Blechschrecks Geheimnis

Es war einmal ein Rüstungsschneider namens Baldur von Blechschreck. Er fertigte Rüstungen für jeden Geschmack. Er machte große Rüstungen und kleine. Rüstungen für Männer und Frauen, für Pferde und Hunde. Seine Rüstungen waren berühmt für ihre Schönheit und ihre Haltbarkeit. Man hätte denken können, dass Baldur durch seine Arbeit ein reicher Mann geworden war. Doch dem war nicht so.
Denn die edlen Ritter bezahlten schlecht. Oft bezahlten sie sogar überhaupt nicht. Und

schon so manches Mal hatte Baldur statt seiner hart verdienten Goldstücke eine Tracht Prügel bekommen.
»So ist das Leben«, dachte Baldur. »Ich mache diese Hohlköpfe mit meiner Arbeit unbesiegbar, und was bekomme ich dafür? Spott, Hohn und Prügel. Meine Hütte ist zugig und feucht, meine Kinder frieren im Winter, und jeden zweiten Tag gibt es Rübensuppe, pfui Teufel. Nein, so geht das nicht weiter.«
In den nächsten Nächten schlief Baldur von Blechschreck nicht. Seine schweren Schmiedehämmer dröhnten bis zum Morgengrauen. Seine Esse glühte. Tagsüber fertigte er Rüstungen. Aber was nachts in seiner Werkstatt entstand, das blieb Baldurs Geheimnis.
Nach zehn Tagen kam der Ritter Edmund von Ekelingen, um seine nagelneue, pechschwarze, mit Diamanten besetzte Rüstung abzuholen.

»Zwanzig Goldtaler bekomme ich«, sagte Baldur von Blechschreck und half dem Ritter, die neue Rüstung anzulegen.
»Später«, brummte Edmund von Ekelingen und betrachtete sich zufrieden im Spiegel.
»Nein, bitte. Ich hätte es gern gleich!«, widersprach Baldur.
»Was hast du gesagt?«, knurrte der Ritter und hielt ihm sein riesiges Schwert vor die Brust.
Baldur machte ein paar Schritte zurück, bis er neben der Tür seiner Werkstatt stand.
»Ich möchte mein Geld gleich!«, wiederholte er mit bebender Stimme.
Das gefiel dem unedlen Ritter von Ekelingen überhaupt nicht.
»Du wagst es, elender Blechschneider!«, brüllte er und zog mit finsterer Miene seine gewaltige Keule aus dem Gürtel. Da stieß Baldur die Werkstatttür auf.
Mit grässlichem Fauchen schob ein riesiger

Drache aus Eisen seinen Kopf heraus. Er öffnete sein gewaltiges Maul, fletschte die silbernen Zähne und blies dem Ritter eine gelbe Stichflamme vor die Füße.
»Hilfe!«, schrie der Ritter und versteckte sich hinter dem Ladentisch. »Nimm das Vieh weg.«
»Sobald du bezahlt hast«, sagte Baldur.
Dem Ritter tropfte der Schweiß vom kahlen Schädel. Das Feuer des eisernen Drachen leckte an seiner neuen Rüstung und machte einen Backofen daraus.
»In Ordnung, in Ordnung!«, brüllte der Ritter. Er war schon krebsrot. Mit zitternden Fingern griff er an seinen Gürtel und warf Baldur einen Beutel Gold zu.
Der schnalzte mit der Zunge. Sein eiserner Drache zog den schrecklichen Kopf ein, und Baldur schloss die Werkstatttür wieder.
Ritter Edmund von Ekelingen aber rannte wie ein Kugelblitz aus dem Laden und er-

zählte überall, was passierte, wenn man Baldur von Blechschreck nicht für seine Arbeit bezahlte.

Tiergeschichten

Salambos Kinder

Oma rief an, als Luisa an den Schularbeiten saß.
Luisa hielt den Hörer ein Stück von ihrem Ohr weg, weil Oma immer ins Telefon brüllte.
»Beeil dich, Süße!«, rief Oma. »Sie kommen!«
Da ließ Luisa den Hörer fallen und rannte los. Ohne den Füller zuzumachen, ohne sich die Jacke anzuziehen.
»Sie kommen!«, rief sie Mama zu, sprang in großen Sätzen die Treppe runter, schnappte sich ihr Fahrrad und raste davon. Völlig atemlos kam sie vor Omas Gartentor an.

Der Stall lag am Ende des Gartens, unter den hohen Holunderbüschen. Leise öffnete Luisa die Tür und schlich hinein.

Im Stall war alles anders als sonst. Ein Absperrgitter teilte die hintere Hälfte ab. In ihr drängten sich Omas wunderschöne Hennen. Furchtbar aufgeregt waren sie, hackten gegen den Draht, scharrten mit den Krallen im Stroh und gackerten so zornig, wie Luisa sie noch nie gehört hatte.

»Sie sind eifersüchtig«, sagte Oma, die neben der Tür im Stroh saß. Lächelnd zog sie Luisa zu sich auf den Schoß. Das tat sie immer, obwohl Luisa schon so groß war, dass sie ihr bis zum Busen reichte.
»Da, guck!« Oma zeigte auf ein Holznest, das im Stroh kaum zu erkennen war. Eine braune Henne saß darin, getrennt von allen andern. Es war Salambo, Luisas Lieblingshenne.

»Ist schon eins da?«, flüsterte Luisa.
Oma nickte und ging vorsichtig auf das Nest zu. Beruhigend streichelte sie Salambo die braunen Federn. Dann griff sie ins Nest und hob behutsam ein kleines zwitscherndes Etwas heraus.
Luisa hielt die Luft an.
Oma setzte ihr das Küken vorsichtig in die Hand. »Leg deine andere Hand wie eine Decke drüber. Du wirst sehen, dann wird es ganz ruhig.«
Luisa hatte immer geglaubt, alle Küken seien

gelb, aber dies hier war braun gesprenkelt. Hektisch pickte es mit seinem winzigen Schnabel an Luisas Fingern, aber als sie ihre Hand über seine Flügelchen legte, wurde es ganz still – wie Oma gesagt hatte.
Wunderwunderschön fühlte das Küken sich an. Leicht und weich, als bestünde es nur aus Federn. Ein ganz bisschen feucht waren die Federn noch. Die Füßchen kitzelten Luisas Hand.
Sie lugte durch ihre Finger. Wie in einer Höhle saß das kleine Ding da und kuschelte sich in ihre Handfläche.
Oma ging zurück zum Nest, streichelte Salambo und sah nach den übrigen Eiern. »Na bitte«, sagte sie. »Da sind noch zwei geschlüpft. Ein geschecktes und ein weißes. Mal sehen, wer im letzten Ei steckt.«
Eins nach dem anderen hob Oma die Küken aus dem Nest und setzte sie ins Stroh. Wie aufgezogen fingen sie an herumzutrippeln,

piepsten und pickten, als wären sie schon seit vielen, vielen Tagen auf der Welt.
Die anderen Hennen starrten durch das Absperrgitter, als wollten sie die Küken auffressen. Immer wieder hackten sie gegen den Draht, scharrten und gackerten. Manche versuchten sogar, ihre Köpfe durch die engen Maschen zu zwängen. Zwei kletterten die Leiter zu den Nestern hinauf, hüpften in die Holzkästen und rollten mit den Kalkeiern, die Oma immer hineintat, damit die Hennen ihre Eier dazulegten. Beunruhigt sah Luisa zu ihnen rüber.
»Tja. Können einem fast leidtun, die Ärmsten«, seufzte Oma. »Sie hätten auch gern Küken, weißt du? Aber daraus wird nichts, ihr Lieben.«
Luisas Oma hatte nämlich keinen Hahn. Die Eier, die Salambo ausbrütete, hatte sie von einem Bauernhof geholt. Für Luisa. Damit sie mal sehen konnte, wie Küken schlüpfen.

»Lass deins jetzt auch ein bisschen laufen«, sagte Oma.
Vorsichtig setzte Luisa das Küken auf den Boden. Sobald sie die Hand wegnahm, flitzte es los. Piepsend und pickend.
Das letzte Küken schlüpfte eine halbe Stunde später. Es war pechschwarz.
Oma stellte Kükenfutter hin. Dann versorgte sie Salambo mit Wasser und Futter und setzte sie zu ihren Kindern ins Stroh. Richtig wackelig war die Henne noch auf den Beinen. Schließlich hatte sie wochenlang auf

den Eiern gehockt. Nur zum Fressen war sie aus dem Nest geklettert, und auch das oft nur, wenn Oma sie heraushob.

Als es draußen dunkel wurde, krochen die Küken unter Salambos Gefieder, bis nur noch vier kleine Köpfchen herausguckten. Luisa hätte stundenlang dasitzen und sie nur anschauen können. Aber Oma sagte, dass Salambo und ihre Kinder jetzt ein bisschen Ruhe bräuchten. Die anderen Hennen hatten sich beruhigt und saßen leise gackernd auf ihren Stangen, die Köpfe im Gefieder. Da schlichen Oma und Luisa sich aus dem Stall.

»Kann ich morgen wiederkommen?«, fragte Luisa. »Gleich nach der Schule?«

»Sicher«, sagte Oma. »Du musst den Kleinen doch Namen geben.«

Und das tat Luisa. Das gescheckte Küken, das in ihrer Hand gesessen hatte, nannte sie Mia, das weiße Wölkchen, das schwarze Pips und das vierte Sophie, weil so ihre beste Freundin hieß.

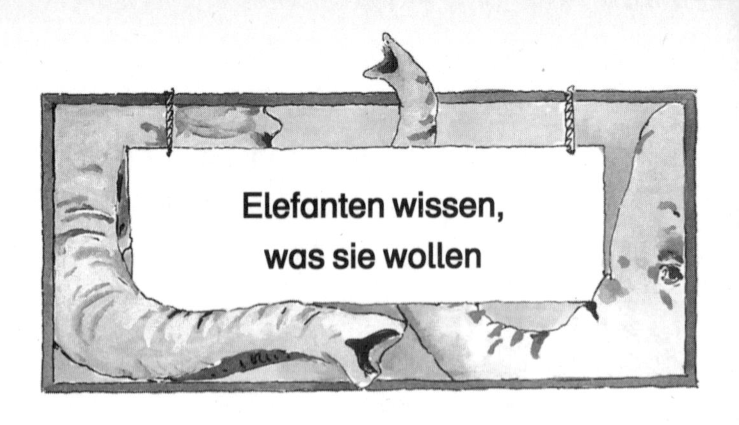

Elefanten wissen, was sie wollen

An einem regnerischen Samstagnachmittag, als Anna vor Langeweile an den Fingernägeln kaute, schlug Papa vor in den Zirkus zu gehen.

»Sind da Löwen?«, fragte Anna besorgt.

»Bestimmt nicht«, sagte Papa. »Höchstens ein paar Ziegen. Wie wär's, wenn wir Inga mitnehmen?«

Inga war Annas beste Freundin. Sie wohnte nebenan und wollte gern mitkommen.

Der Zirkus war sehr klein. Viel zu klein für Löwen.

Aber das Zelt war wunderschön. Es war gemütlich, auf den bunten Bänken zu sitzen

und der Schlangenfrau und dem Feuerspucker zuzusehen, während draußen der Regen auf die Zeltplane prasselte.
Es gab Ponys, zahme Ziegen, eine Riesenschlange und einen starken Mann, der seine Kinder in die Luft warf.
Inga und Anna waren entzückt. Sogar über

die Clowns mussten sie lachen – obwohl Anna Clowns eigentlich unheimlich fand. Ja, und dann kam die Elefantenfrau Bella. Riesengroß stapfte sie in die Manege. Auf dem Kopf hatte sie eine Federkappe, und im Rüssel trug sie ein Fähnchen, mit dem sie den Zuschauern zuwinkte.

Als sich der Zirkusdirektor vor ihr verbeugte, warf sie das Fähnchen weg und schüttelte ihm mit dem Rüssel die Hand. Dann führten die zwei unglaubliche Kunststücke vor. Am tollsten fand Anna das, wo der Zirkusdirektor sich auf den Boden legte und Bella sich ganz, ganz vorsichtig mit dem Bauch auf ihn drauflegte. Inga traute sich erst wieder Luft zu holen, als die Elefantenfrau aufstand. Aber der Zirkusdirektor sah kein bisschen plattgedrückt aus.

»Sehr verehrte Damen und Herren!«, rief er. »Die Artisten machen jetzt eine kleine Pause, aber Bella lädt alle Kinder zu einem Ritt durch die Manege ein.«

»Das wollt ihr doch bestimmt nicht, oder?«, fragte Papa. »Ich hol uns lieber Würstchen.«

Inga und Anna sahen sich an. »Nee«, sagte Anna. »Wir wollen lieber auf Bella reiten.«

Papa guckte die Mädchen an, er guckte den riesigen Elefanten an – und seufzte.

Als sie neben Bella in der Manege standen, sah die Elefantenfrau wirklich riesenriesen-

groß aus. Aber der Zirkusdirektor hob die beiden Mädchen – schwups – in die Luft, und schon saßen sie auf dem Elefantenrücken, Anna vorn und Inga hinter ihr. Ganz fest schlang sie ihre Arme um Annas Bauch.
Nachdem der Direktor noch zwei Jungs und ein Mädchen auf den Elefanten gesetzt hatte, schnalzte er mit der Zunge. Bella hob den Rüssel, trompetete und stapfte los.
Es war wunderbar. Annas Bauch fühlte sich an, als ob tausend kleine Käfer darin herumkrabbelten, so aufgeregt war sie. Sie konnte überhaupt nicht aufhören zu kichern. Ihr Vater und die anderen Erwachsenen sahen aus wie Zwerge. Anna streichelte der Elefantenfrau den Kopf. Ganz haarig war der.
»Eine Runde noch!«, rief der Zirkusdirektor.
»Och, schade!«, flüsterte Inga hinter Annas Rücken. »Das schaukelt wunderbar, nicht?«
Anna nickte.
Mit schwankenden Schritten umrundete Bel-

la noch einmal gemächlich die Manege. Aber plötzlich, als sie am Eingang vorbeikam, drehte sie sich um und marschierte nach draußen.

Ein furchtbares Geschrei brach los. Der Zirkusdirektor rannte mit wedelnden Armen hinter ihr her, brüllte und verlor seinen Hut vor Aufregung. Aber Bella lief immer schneller. Über die große Wiese, auf der das Zelt stand, vorbei an den Ponys und Ziegen, bis sie an der Straße stand.

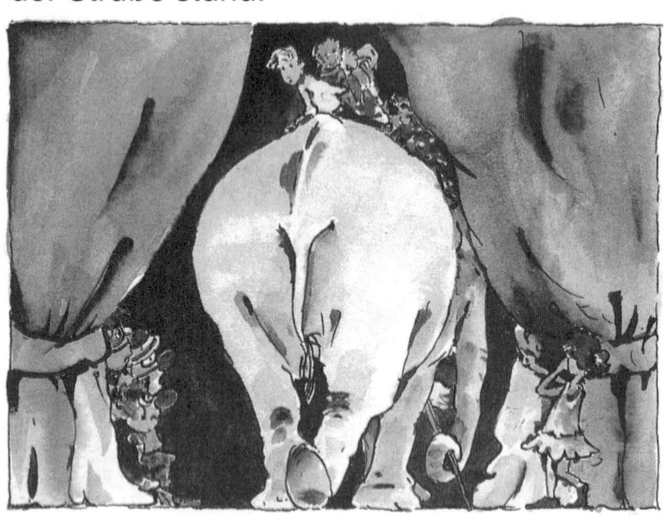

»Haaaalt, Bella!«, hörte Anna den Direktor brüllen. »Halt!« Da hob Bella den Rüssel, winkte ihm zu und überquerte die Straße. Ein Autofahrer, der ahnungslos aus einer Seitenstraße kam, bremste gerade noch vor Bellas dicken grauen Knien.

Die Elefantenfrau guckte überrascht auf den Blechkäfer hinab, klopfte mit dem Rüssel auf die Haube und lief weiter – in eine Straße mit hohen Bäumen an den Seiten.

Anna, Inga und die anderen Kinder lachten. Sie hatten kein bisschen Angst da oben auf dem breiten Elefantenrücken. Endlich waren sie es mal, die den andern auf den Kopf guckten. Das Einzige, was ein bisschen störte, war der Regen. Als ihnen ein Fußgänger entgegenkam, nahm Bella ihm den Regenschirm ab und hielt ihn sich mit dem Rüssel über den Kopf. Der Mann starrte sie mit offenem Mund an.
»Mund zu, sonst regnet es rein!«, rief Inga.
Und Bella trompetete. So laut, dass es durch die ganze Straße schallte.
Durch viele Straßen trug Bella die Kinder. Aber dann kamen sie an einem Gemüsegeschäft vorbei, vor dem Kisten voll Kohl, Salat und Obst standen.
Bella fraß und fraß und fraß – bis plötzlich ein Polizeiwagen neben ihnen hielt. Heraus sprang der Zirkusdirektor. Tränen liefen ihm die Backen herunter.

»Bella!«, rief er. »Ach, Bella, da bist du ja! Ist dir auch nichts passiert, meine Dicke?«
»Bella geht's gut!«, rief Anna nach unten. »Aber wir sind ziemlich nass. Könnten Sie uns wohl runterholen?«
Natürlich konnte das der Zirkusdirektor. Er bezahlte dem Gemüsehändler die leer gefressenen Kisten, und dann führte er Bella durch die vielen Straßen zurück zum Zirkus. Die Kinder fuhren im Polizeiwagen hinterher. Annas Vater war natürlich schrecklich froh,

als er Inga und Anna heil zurückbekam. Eltern sind nun mal so. Wenn ihre Kinder auf Elefanten herumreiten, machen sie sich Sorgen. Obwohl das doch nun wirklich nicht gefährlich ist.

Jans Hund hieß Tiger. Sein bester Freund Max fand, dass das ein alberner Name war für einen kleinen schwarzen Hund, aber der hatte sowieso immer was zu meckern.
Tiger war faul und verfressen, bellte den Briefträger und die Mülleimerleute an, bis er heiser war, lag auf dem Sofa, obwohl Mama es verboten hatte, und war für Jan der wunderbarste Hund, den er sich vorstellen konnte. Wenn er Schularbeiten machte, legte Tiger sich auf seine Füße. Und wenn er morgens aufstehen musste, zog Tiger ihm die Decke weg und leckte ihm so lange die Nase, bis er die Beine aus dem Bett streckte.

Jan und Tiger waren sehr glücklich miteinander. Bis Oma sich das Bein brach. Ja, damit fing der ganze Ärger an. Oma hatte einen dicken Kater namens Leo, und der konnte natürlich nicht allein bleiben, während Oma mit ihrem Gipsbein im Krankenhaus lag. Was machte Mama also? Obwohl sie genau wusste, dass Tiger Katzen nicht leiden konnte? Dass er ganz verrückt wurde, wenn er eine sah? »Wir nehmen Leo«, sagte sie. »Das wird schon klappen.«

Gar nichts klappte!

Papa musste dauernd niesen, weil er die Katzenhaare nicht vertrug, und Tiger – Tiger hatte den ganzen Tag nichts anderes mehr im Kopf als den Kater.

Am ersten Tag lag Leo nur auf dem Wohnzimmerschrank und schlief. Das heißt, er tat so, als ob er schlief. In Wirklichkeit blinzelte er zu Tiger hinunter, der stundenlang vor dem Schrank saß und zu Leo hinaufsah. Wenn der Kater fauchte, wedelte Tiger mit

dem Schwanz. Und wenn der Kater das orangefarbene Fell sträubte, bellte Tiger. Stundenlang vertrieben die beiden sich so die Zeit. Nicht ein einziges Mal legte Tiger sich auf Jans Füße.

Am nächsten Morgen wurde Jan wie immer davon wach, dass jemand seine Nase leckte. Aber irgendwie fühlte die Zunge sich rauer an als sonst.

Verschlafen hob Jan den Kopf – und guckte in Leos bernsteinfarbene Augen. Dick und fett saß der Kater auf seiner Brust und schnurrte.

Die Zimmertür war zu und keine Spur von Tiger.

Können Kater Türen zumachen?

Leo schnurrte, grub seine Krallen ins Bett und rieb seinen dicken Kopf an Jans Kinn. Nett fühlte sich das an. Sehr nett. Obwohl Jan Katzen eigentlich nicht mochte.

Als Jan Leo hinter den Ohren kraulte,

schnurrte der, als wäre ein kleiner Motor in seinem Bauch.
»Jan?« Mama machte die Tür auf. »Hast du Tiger ausgesperrt?«

Eine schwarze Fellkugel schoss durch Mamas Beine. Mit lautem Gebell sprang Tiger auf Jans Bett und fletschte die kleinen Zähne. Fauchend fuhr Leo hoch, machte einen Buckel und rettete sich mit einem Riesensatz auf den Schreibtisch. Dann jagte Tiger Leo durch die Wohnung.
Mama und Jan konnten nur dastehen und sich die Ohren zuhalten. Bellend und fau-

chend rasten Hund und Kater vom Wohnzimmer in den Flur, vom Flur in die Küche und von der Küche zurück ins Wohnzimmer, wo Leo sich endlich mit gesträubtem Fell auf dem Schrank in Sicherheit brachte.

»O nein!«, stöhnte Mama. »Nun sieh dir das an.«

Die Blumentöpfe waren von den Fensterbrettern gefegt. Der Wohnzimmertisch war

zerkratzt von Leos Krallen, und auf dem Küchenfußboden schwammen kaputte Eier in einer Pfütze Gemüsesuppe. Tiger war gerade dabei, sie aufzuschlecken.
»Wie sollen wir denn bloß die nächsten drei Wochen überstehen?«, fragte Mama. »Ich glaub, wir müssen den Kater doch ins Tierheim bringen.«
»Nein!«, rief Jan erschrocken. Er musste an Leos rauhe Zunge denken, an den Schnurrmotor und seine bernsteinfarbenen Augen. »Ich werd mich um die zwei kümmern, Mama. Heiliges Ehrenwort.«
Und das tat er.
Jan gewöhnte den beiden an, nebeneinander zu fressen. Das war nicht einfach, weil Tiger viel schneller fraß und dann Leos Futter klauen wollte. Er schlief mit Leo auf den Füßen und Tiger auf dem Kissen, auch wenn die zwei sich manchmal auf seinem Bauch rauften. Er legte Tiger eine Decke in

seinen Korb, die nach Leo roch, und brachte dem Kater bei, nicht gleich einen Buckel zu machen, wenn Tiger auch auf Jans Schoß wollte.
Es war Schwerstarbeit, aus den beiden Freunde zu machen. Aber Jan schaffte es. Mit Streicheln, bis ihm die Finger prickelten, und vielen, vielen Hunde- und Katzenbrekkies als Bestechungsmittel.
Aber als dann eines Abends beim Fernsehen Leo seinen dicken Kopf auf Jans linkes Knie legte und Tiger seine schwarze Schnauze auf sein rechtes, da wusste Jan, dass sich die Mühe gelohnt hatte.

Wer kümmert sich um Kalif?

Warum trinken Erwachsene eigentlich so gern stundenlang Kaffee? Sie sitzen auf ihrem Hintern, rühren in ihren Tassen herum und reden über Dinge, die keinen interessieren.

Eines Nachmittags musste Alexa mal wieder mit zu so einem Kaffeetrinken. Bei Tante Irmtraud und Onkel Berthold. Furchtbar!

Als die Erwachsenen die zweite Torte in sich reinstopften, schlüpfte Alexa aus dem Wohnzimmer und machte sich daran, das Haus zu erkunden.

Viel Interessantes entdeckte sie nicht. Ein Zimmer war langweiliger als das andere.

Nichts als riesige alte Möbel, scheußliche Vasen und Fotos von düster dreinblickenden Leuten.
Aber gerade, als sie das Treppengeländer wieder runterrutschen wollte, hörte sie es. Ein Krächzen. Ganz deutlich.
Alexa lauschte. Da! Da war es schon wieder. Leise schlich sie an den Türen entlang.

Das Krächzen wurde lauter.
Alexa öffnete die letzte Tür, und da war er. Ein grauer Nymphensittich. Traurig hockte er in einem viel zu kleinen Käfig. Seine Frisur war zerrupft, und sein Gefieder sah aus, als hätte er sich seit Wochen nicht geputzt.
»Hallo«, sagte Alexa. »Du siehst aber schlimm aus.«
Der Sittich legte den Kopf schief und guckte sie an.

Alexa begutachtete den Käfig. »Dein Futternapf ist ja ganz leer! Und dein Wasser. Igitt! Das ist ja total vollgekackt.«
Mit einem Ruck hob Alexa den Käfig von dem Tischchen, auf dem er stand, und schleppte ihn die Treppe runter.
Rums! stieß sie die Wohnzimmertür auf.
»Wem gehört der?«, fragte sie.
Erschrocken drehten die Erwachsenen sich um. Tante Irmtraud fiel die Torte von der Kuchengabel.
»Ach der!«, sagte Onkel Berthold mit vollem Mund. »Der hat meiner Schwester Elsbeth gehört. Nichts als Dreck und Krach macht er. Aber irgendwer musste sich ja um ihn kümmern, als Elsbeth ins Altersheim zog. Da wollen sie nämlich keine Viecher.«
»Ihr kümmert euch aber gar nicht um ihn!«, rief Alexa. »Er hat kein Futter. Sein Wasser ist vollgekackt, und außerdem ist er ganz allein. Das find ich eine Gemeinheit.«

»Alexa!«, sagte Papa. »So redet man doch nicht mit Erwachsenen.«
Alexa kniff die Lippen zusammen.
»Bring den Vogel wieder dahin, wo du ihn gefunden hast«, sagte Papa und goss sich noch eine Tasse ein.
Alexa rührte sich nicht. »Wie heißt er?«, fragte sie.
»Kalif«, sagte Tante Irmtraud. »Elsbeth hatte eine Vorliebe für die Märchen aus Tausendundeiner Nacht.«
»Kalif!« Alexa guckte den Nymphensittich an. »Ich werde ihn mitnehmen.«
»Was?«, fragte Mama erschrocken. »Um Gottes willen, Alexa. Was willst du denn mit diesem Vogel?«
»Ich werd mich um ihn kümmern«, sagte Alexa. »Er sieht furchtbar traurig aus. Merkt ihr nicht, wie seine Frisur runterhängt? Er ist einsam. Ich nehm ihn mit.«
»Aber, aber!« Mama tupfte sich den Mund

mit ihrer Serviette ab. »Das geht doch nicht.«

»Also, meinetwegen kann sie das Vieh mitnehmen«, brummte Onkel Berthold. »Ich bin froh, wenn ich das ewige Gekrächze nicht mehr hören muss.«

»Ja, und überall diese Federn!« Tante Irmtraud seufzte. »Wenn das Kind ihn haben will. Bitte.«

So kam Alexa zu einem Vogel.

Schon im Auto fing Kalif an sich zu putzen. Und nach zwei Tagen sah seine Frisur prächtig aus. Alexa vergaß nie ihn zu füttern. Nach der Schule nahm sie ihn auf die Hand, kraulte seinen Kopf und unterhielt sich mit ihm. Ja, und zu Weihnachten schenkte sie ihm einen Freund. Damit er nicht so einsam war, wenn sie in der Schule saß.

Der Fliegenfreund

Sophies Onkel Albert war der einzige Mensch, den sie kannte, der Fliegen mochte. Onkel Albert liebte Fliegen. Wenn sich eine auf seine Nase setzte, scheuchte er sie nicht weg, wie alle andern das tun. Nein, Albert schielte auf sie hinunter und lächelte.
»Sieh nur«, sagte er dann zu Sophie. »Wie anmutig sie ihre Flügel putzt. So gelenkig möchte ich auch mal sein.«
Endlos lange konnte er so dasitzen und auf die Fliege schielen. Sophies Mutter machte das manchmal so nervös, dass sie die Fliege wegscheuchte.
»Och!«, sagte Onkel Albert dann enttäuscht.

»Jetzt hast du sie erschreckt. Ich weiß gar nicht, was ihr alle gegen Fliegen habt. Es sind doch wirklich ganz erstaunliche Wesen. Könnt ihr etwa die Wände hochlaufen? Na bitte.«

Onkel Albert versuchte zweimal, die Wände hochzulaufen. Aber so was machte er nicht vor den anderen Erwachsenen. So was tat er

nur, wenn Sophie dabei war. Leider klappte es nicht.

»Tja, vielleicht im nächsten Leben!«, seufzte er. »Vielleicht werde ich ja als Fliege wiedergeboren. Wenn man sich so etwas ganz fest wünscht, dann klappt es auch.«

Sophie war sich da nicht so sicher. Aber sie mochte Onkel Albert sehr. Sie mochte ihn sogar fast ein bisschen lieber als alle anderen Erwachsenen.

Zu seinem vierzigsten Geburtstag schenkte Sophie ihm ein Fliegenbild, das sie selbst

gemalt hatte. Sechsundsiebzig Fliegen waren da drauf – ungefähr zumindest. Albert freute sich schrecklich. Er hängte das Bild über seinen Schreibtisch. Und sofort setzte sich eine echte Fliege drauf.
»Na bitte!«, sagte Onkel Albert. »Du wirst später bestimmt mal eine große Malerin, Sophie.«
Und dann setzte er sich an seinen Schreibtisch und betrachtete die Fliege. Die Fliege und das Bild von Sophie.

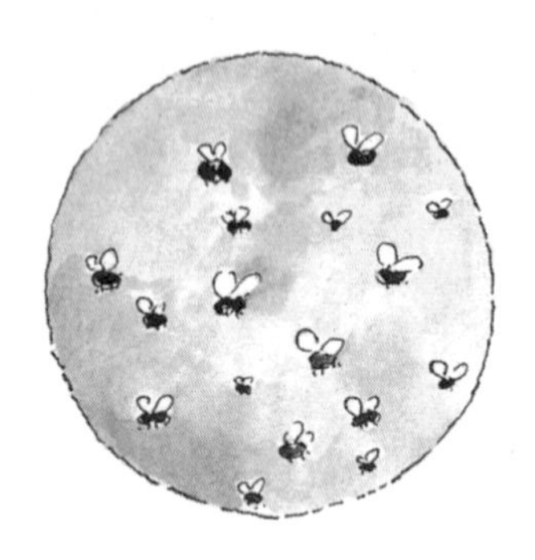

Grizzlys neuer Zweibeiner

Seit drei Tagen war Grizzly im Tierheim.
Sein Zweibeiner hatte ihn ins Auto springen lassen, und er war so dumm gewesen, auch noch mit dem Schwanz zu wedeln. Weil er dachte, dass sie zum Spazierengehen in den Wald fuhren. Irrtum!
Sein Zweibeiner hielt vor einem sehr beunruhigend riechenden Gebäude an, drückte einer wildfremden Frau Grizzlys Leine in die Hand und fuhr weg. Er fuhr einfach weg.
Wenig später steckte Grizzly in einem engen Zwinger. Neben einem Boxer, der ihn durchs Gitter anknurrte und nach Ärger roch. Nachdem Grizzly sich heiser gebellt hatte, was

leider überhaupt nichts half, rollte er sich in einer Ecke zusammen und wartete.
Er fraß nichts und er schlief kaum. Aber sein Zweibeiner kam nicht zurück.
Und irgendwann wusste Grizzly, dass er nie wiederkommen würde. Und dass es nur eine Chance gab, aus diesem scheußlichen Zwinger zu kommen. Grizzly musste sich so schnell wie möglich einen anderen Zweibeiner suchen. Aber wie?
Es kamen oft Menschen an den Zwingern

vorbei, ganz verschiedene. Dicke, dünne, kleine und große. Mit hohen und tiefen, lauten und leisen Stimmen. Und mit den verschiedensten Gerüchen.

Grizzly beobachtete sie genau von seiner Ecke aus. Und irgendwann begriff er, dass sie alle einen Hund suchten.

Na, wunderbar! Er brauchte einen neuen Zweibeiner. Und die da wollten einen Hund. Aber diesmal musste er sich ein besseres

Exemplar aussuchen. Bloß nicht wieder so einen Verräter.

Aber wie erkannte man die echten Hundefreunde? Mit der Nase natürlich. Und an der Stimme, die Stimme war auch wichtig. Manche Menschen hatten so abscheuliche Stimmen, dass einem die Ohren davon schmerzten.

Also machte Grizzly sich an die Arbeit. Bei jedem Menschen, der in seinen Zwinger guckte, spitzte er die Ohren und schnupperte. Aber es war gar nicht so einfach, den richtigen Zweibeiner herauszufischen. Bei manchen schmeichelte die Stimme seinen Ohren, aber dafür rochen sie nicht gut. Bei anderen wieder stimmte der Geruch, aber die Stimme ließ Grizzly zusammenzucken.

Nur zweimal gab er sich die Mühe, ans Gitter zu laufen, die Brust rauszustrecken und zu lächeln. Aber beide Male gingen die Zweibeiner weiter und befreiten einen anderen

Hund aus seinem Zwinger. Sehnsüchtig guckte Grizzly ihnen hinterher.

Eine Woche verging. Draußen kam der Herbst. Welke Blätter wehten in die Zwinger. Regen fiel vom grauen Himmel. Die Welt war so traurig, dass Grizzly nicht mal die Augen öffnen wollte.

Da strich ihm plötzlich ein wunderbarer Ge-

ruch um die Nase. Und eine leise, kleine Stimme rief: »He, Dicker! Du da, Strubbelkopf. Komm doch mal her!«
Grizzly hob den Kopf von den Pfoten.
Ein Junge stand vor dem Zwinger und presste sein Gesicht an das Gitter. Hinter ihm standen zwei große Zweibeiner.
Grizzly sprang auf. Schwanzwedelnd lief er auf den wunderbar riechenden kleinen Menschen zu. Er drückte seine kalte Nase durch das Gitter, schnupperte und lächelte sein schönstes Hundelächeln.
»Aber wir wollten doch eigentlich einen kleinen Hund«, sagte einer von den großen Zweibeinern.
So gut wie der kleine Mensch rochen die beiden nicht. Aber es war auszuhalten.
»Ich finde, er ist genau richtig«, sagte der Junge. »Den will ich haben. Bitte!« Er schnalzte Grizzly zu und ließ ihn an seiner Hand schnuppern. Am liebsten hätte Grizzly

ihm die Finger geleckt, aber er kam mit der Zunge nicht durchs Gitter.

»Pass auf!«, sagte ein großer Zweibeiner. »Vielleicht ist er bissig!«

»Ach was!« Der Junge hüpfte aufgeregt vor dem Gitter herum.

Grizzly wedelte immer heftiger mit dem Schwanz. Zu bellen traute er sich nicht. Das mochten Zweibeiner nicht. So viel wusste er noch von seinem alten Zweibeiner.

»Ich heiße Max«, sagte der Junge. »Und du?«
Grizzly spitzte die Ohren und legte den Kopf schief.
»Er heißt Grizzly«, sagte ein großer Zweibeiner. »Jedenfalls steht das auf dem Zettel an seinem Zwinger. ›Sechs Monate alt, kinderlieb, bleibt auch mal allein zu Hause.‹ Na also, das hört sich ja nicht schlecht an.«
Grizzly merkte, dass es ernst wurde. Furchtbar ernst.
Er setzte sich, streckte die Brust raus und lächelte um sein Leben.
»Was meinst du?« Die großen Zweibeiner tuschelten miteinander.
Dann beugten sie sich vor und musterten Grizzly von oben bis unten.
»Also gut!«, sagte schließlich der eine. »Du sollst ihn haben.«
Da hüpfte Max vor Freude vor dem Zwinger herum. Er klatschte in die Hände und lachte. Wunderbar klang das.

Als Grizzlys Zwingertür endlich aufgeschlossen wurde, warf er seinen neuen kleinen Zweibeiner vor lauter Freude fast um.
Am Abend schlief Grizzly neben Max' Bett auf einer Decke. Aber als es draußen dämmerte, kletterte Grizzly ganz, ganz vorsichtig auf das Bett und legte seine Schnauze auf den Bauch des kleinen Menschen.
Davon wachte Max auf. »Morgen, Grizzly!«,

murmelte er und kraulte ihn hinter den Ohren.
Da war Grizzly so glücklich wie noch nie in seinem ganzen Hundeleben.